QUAND J'ÉTAIS PETIT

PARIS. — TYPOGRAPHIE DE E. PLON, NOURRIT ET Cie, RUE GARANCIÈRE, 8.

LUCIEN BIART

QUAND J'ÉTAIS PETIT

HISTOIRE D'UN ENFANT

RACONTÉE PAR UN HOMME

ILLUSTRATIONS DE M. B. DE MONVEL

PARIS

LIBRAIRIE PLON

E. PLON, NOURRIT et Cⁱᵉ, IMPRIMEURS-ÉDITEURS

10, RUE GARANCIÈRE

A CELLE QUI EST PARTIE

Hélas! vers le passé tournant un œil d'envie,
Sans que rien ici-bas puisse m'en consoler,
Je regarde toujours ce moment de ma vie
Où je l'ai vue ouvrir son aile et s'envoler!

V. H.

CHAPITRE PREMIER

Vous souvient-il, ami lecteur, de vos faits et gestes ou, sans aller si loin, de vos impressions à l'heure de votre naissance, et durant les mois qui la suivirent? Non, n'est-ce pas? Eh bien, à parler franc, je resterais aussi embarrassé que vous si l'on m'adressait cette question. J'ai su plus tard, grâce à l'indiscrétion de ceux qui m'ont connu à cette époque, que quarante-huit heures après être assez adroitement tombé du ciel dans une maison de la rue Duplessis, à Versailles, je fus confié par ma mère en larmes à une nourrice chargée de la suppléer. Cette brave femme, dûment bourrée de recommandations et

1

de cadeaux, — ces derniers avaient pour but de me conquérir sa bienveillance, — m'emporta d'une traite en Normandie, où elle ne tarda pas à se faire gloire de ma bonne mine. C'est éga-

lement par ouï-dire, je l'avoue, que j'ai connaissance de ce que j'ai commis d'extravagant, de raisonnable ou de notable jusqu'à l'âge où je daignai me rendre assez sérieusement compte de mes actions pour ne plus les oublier, c'est-à-dire vers ma troisième année. Jusque-là, je m'étais contenté, ou à peu près, de dormir, de boire et de pleurer : indifférence coupable!

Un peu d'attention, en effet, m'eût mis à même de renseigner la Société d'anthropologie, dont je suis plus tard devenu membre, sur plusieurs points qui la préoccupent après avoir préoccupé l'antiquité, et qu'elle ne semble pas à la veille de résoudre. Mon excuse, c'est que ses présidents ont passé par les mêmes phases que moi, sans se montrer plus avisés. Tous meurent, il n'y a pas à dire non, après avoir usé leur vie à chercher l'explication du phénomène de leur apparition sur la terre, à chercher l'invisible lien qui unit l'âme, cet esprit, au corps, cette boue. Mais laissons-les chercher et soyons précis, c'est le premier devoir d'un historien.

A l'âge de six semaines, je suivais du regard, parait-il, le tison enflammé à l'aide duquel mon père nourricier avait coutume d'allumer sa pipe, et ce fut là, en même temps qu'une preuve que je n'étais pas né aveugle, mon premier signe d'intelligence. A deux mois, je manifestai ma précocité intellectuelle d'une part, et ma sociabilité de l'autre, en faisant des risettes à tous ceux qui me provoquaient, quelle que fût leur condition. A six mois, je savais distinguer les uns des autres mes quatre frères de lait, tournant vers eux mes regards lorsqu'on les nommait. A huit mois, — ce fut un gros événement, — apparut ma première dent. C'était la nature qui me gratifiait de ce petit os, et

1.

ce fut ma nourrice que l'on félicita, à laquelle ma mère envoya un cadeau. Quant à moi, j'y gagnai de voir tous ceux qui m'approchaient me fourrer leur index dans la bouche, comme pour s'assurer que ma dent n'était pas fausse. Du reste, une

première dent, aujourd'hui comme alors, est un objet de vive curiosité, un sujet de joie pour les familles et de pleurs pour les bébés.

A l'âge d'un an, — peut-être un peu passé, — je m'aventurai à marcher seul. Mon front et mon nez furent alors en contact incessant avec les angles des meubles, et j'eus en permanence une bosse à la tête ou un bleu sur le corps, souvent deux.

Aussitôt qu'on me perdait de vue, j'allais me précipiter dans les baquets, dans les seaux que j'apercevais, ou fourrer mes doigts dans les fentes où ils pouvaient être pincés. Avec un aplomb qui laissait bien en arrière l'héroïsme de Mucius Scæ-

vola, et qui n'avait d'égal que celui des hannetons, je marchais droit au foyer lorsqu'il flambait. Est-il vif! disait-on. On eût mieux parlé, je crois, en disant : Est-il bête! Pourtant non; car j'appris vite à respecter le feu, à me méfier des portes, des marches d'escalier, et surtout à me laisser choir, sinon avec grâce, du moins sans trop de dommages pour ma personne. Je finis par m'apercevoir que j'étais fragile; c'était un commencement de sagesse.

A dix-huit mois, je me décidai à parler, forgeant des mots nouveaux, dénaturant, parfois d'une façon très-pittoresque, ceux que l'usage a consacrés, ou réformant, avec une logique fantaisiste, l'irrégularité choquante de certains verbes. Quel soulagement de pouvoir enfin prévenir autrement que par des pleurs qu'une épingle me piquait, de pouvoir dire avec autorité « Je veux », de pouvoir qualifier ceux qui me contrariaient de méchants, de vilains, ou d'épithètes usuelles en Normandie, et ailleurs, d'une regrettable rusticité! Mais, bien que tout ce que je viens de raconter m'ait été rappelé par des témoins oculaires qui, n'ayant aucun intérêt à me tromper, ont dû me dire la stricte vérité, ce ne sont pas là des souvenirs personnels.

Au fond, de ce qui m'a été révélé sur cette époque ténébreuse et pourtant très-agitée de ma vie, je conclus que, tout d'abord, je ne fus qu'à demi satisfait de me trouver sur la terre. Non-seulement j'y apparus en pleurs, mais pleurer fut longtemps ma seule éloquence. Je pleurais lorsque je désirais boire, manger, dormir ou changer de place, surtout lorsque ma nourrice procédait à ma toilette. Avais-je donc horreur de la pro-

preté, cette vertu? C'est là une question que j'adresse invariablement aux bébés que je vois, comme je le faisais autrefois,
se révolter devant une éponge. Ils m'écoutent, me regardent
d'un air narquois, mais ne me répondent jamais.

Récapitulons. Jusqu'à l'âge où je me risquai à marcher seul,
je fus, de même que mes pareils, un être assez misérable.
Il fallait me porter, deviner mes désirs, mes souffrances, mes
volontés, que je ne savais manifester que par des sons inar-
ticulés. Ce langage, le plus souvent incompréhensible, me valait
d'être frotté dans le dos quand j'avais mal au ventre, de me
voir donner à manger quand je voulais boire. Alors qu'un être
inférieur, un chat né quinze jours après moi, savait déjà courir
sur les toits, s'emparer de souris qu'il croquait, chair, poil et
os, j'étais encore si gauche que je m'étranglais avec le lait de
ma nourrice, bien qu'il ne contînt pas d'arêtes. Et pourtant,
mes humbles débuts ressemblent à ceux des plus grands mas-
sacreurs d'hommes de toutes les époques, à ceux d'Alexandre,
de César et de Napoléon. Si je n'en tire pas vanité, c'est qu'ils
ressemblent aussi à ceux de tous les bébés qui m'ont précédé
ou suivi sur la terre, et se sont résignés à l'habiter.

En dépit des mille et une causes qui conspiraient à la des-
truction de ma minuscule personne, j'atteignis, sans dommages

irréparables, — perte d'un doigt, d'une oreille, d'un œil ou de mon nez, — l'âge de trois ans et demi. A dater de ce moment, je crois posséder, sur certains faits, des souvenirs enfin personnels. Je me vois, par exemple, me roulant, bataillant avec quelques êtres de mon espèce et de mon âge sur un tas de fumier peuplé de poules, de canards et d'oies. Je vois mon père nourricier s'asseoir au coin d'une immense cheminée, et nous tenir attentifs, ses fils et moi, avec le récit éternellement neuf des aventures du Petit Poucet. Parfois, l'après-midi, à mon grand désespoir, ma nourrice me lavait à grande eau, débarrassait mes cheveux de la paille mêlée à leurs boucles, mes mains de la terre qui les souillait, et m'affublait d'une petite blouse bleue. Parée de son grand bonnet, elle me conduisait chez ma grand'mère maternelle, logée au centre du village, et chez laquelle je passais une heure. Un heure, pas davantage, car ma grand'mère, toujours souffrante, ne pouvait supporter le bruit. Or, avec ma rage de fermer les portes avec fracas, de me hisser sur les chaises, de gravir les marches d'escalier, de trotter au lieu de marcher, j'effrayais et surtout je fatiguais vite la pauvre femme. Du reste, je ne me plaisais qu'à demi chez elle ; aussi, une fois bourré des confitures, des biscuits ou des fruits qu'elle m'avait réservés, je demandais à retourner « chez

Elle me conduisait chez ma grand'mère.

nous ». Chez nous, c'était la chaumière de ma nourrice;
c'étaient les poules, les canards, les oies, et plus spécialement
le fumier sur lequel je me roulais du matin au soir, étudiant
à fond l'art des culbutes. De ces choses lointaines, il me semble
bien me souvenir. Au fond, il se peut que ce soit une illusion;
ce dont je crois me rappeler m'a peut-être été simplement
raconté : les hommes eux-mêmes s'y trompent souvent.

A courir tête nue en plein soleil, à délayer de la terre dans
l'eau, à croquer des pommes vertes en cachette, à donner des
coups et à en recevoir, j'atteignis ma quatrième année, et, un beau
matin, je fus surpris de voir ma nourrice vaquer en larmes à ses
occupations, m'embrasser vingt fois en une heure. La brave
femme m'apprit, sans précaution, que mes parents me récla-
maient, et qu'elle allait me conduire chez eux. Cette grave nouvelle me laissa indifférent. Il s'agissait d'un voyage dont je comprenais mal le but, mais partir avec ma nourrice ne m'effrayait pas.
On me para de mes habits du dimanche, on fit de mes hardes un
paquet, puis une charrette empruntée à un voisin, conduite par
mon père nourricier qui faisait claquer un long fouet, s'arrêta
devant la porte. J'embrassai mes frères de lait, dix voisines
chez lesquelles j'allais souvent quêter une tartine ou des fruits,
un nombre double de jeunes gens de mon âge dont les yeux

brillèrent d'envie lorsque, soulevé par ma nourrice, je fus placé dans la charrette. On pleurait un peu autour de moi, et, par contagion, non par émotion, j'eusse sans doute pleuré de mon côté, si je n'avais été préoccupé par la pensée de m'emparer du fouet qu'agitait mon père nourricier. Oh! tenir un vrai fouet! taper un vrai cheval et crier : *Hue!* cette perspective m'eût fait fouler aux pieds les sentiments les plus sacrés, si j'en avais eu.

On cause, on s'attarde, on n'en finit pas de se mettre en route, et l'impatience me rend maussade. Hélas! si je pressentais quel lendemain m'attend, comme je me cramponnerais aux grands chenets de fer du foyer au lieu de vouloir partir! Mais qui connaît l'avenir? Enfin, la charrette s'ébranle; j'en deviens rouge de joie, car j'ai la conviction d'en être cause. Avec une habileté diplomatique dont j'ai perdu le secret, j'ai réussi à déposséder mon père nourricier du fameux fouet, et ma main débile, en l'agitant, caresse la croupe du vieux Garou, que je crois frapper très-fort. Nous traversons le village; du seuil de vingt portes on me crie adieu. La charrette s'arrête devant la demeure de ma grand'mère... cette fois, je me souviens.

Ma grand'mère est assise près d'une fenêtre, dans l'antique fauteuil qu'elle ne quitte jamais, qui, pour moi, fait partie de son être. Elle tricote avec ardeur, comme de coutume. Son visage,

pâle, maigre, triste, est encadré de deux bandeaux de cheveux
blancs. On me porte sur ses genoux, elle me regarde avec des
larmes plein les yeux, m'embrasse, me presse contre sa poitrine.
Je lui entoure le cou de mes bras, et ce bon mouvement l'émeut
davantage. Elle ne me lâche pas, elle semble pressentir qu'elle
ne me reverra plus, qu'avant la fin de l'année prochaine elle
dormira là-bas, dans le petit cimetière clos de murs blancs que
l'église couvre de son ombre, où j'ai capturé de si beaux lézards
verts. Moi, je songe depuis longtemps à la charrette, au fouet
que mon père nourricier a repris, qu'il ne voudra peut-être
plus me rendre. Enfin l'on m'emporte, et, tandis qu'on place
dans la voiture un panier plein de fruits, je reconquiers le
fouet : Hue! hue donc, Garou! Le cheval part, et ma grand'-
mère est oubliée, oubliée momentanément. Cette douce figure,
placée dans la baie de la fenêtre comme dans un cadre, qui me
regarde, pleure et m'envoie des baisers, qui est la cause pour
laquelle on m'a laissé si longtemps en nourrice, descendra de
ma mémoire dans mon cœur, et s'y gravera pour ne plus
s'effacer.

Hue, Garou! hue donc! Et le long fouet, agité par mes mains
inhabiles, voltige sur l'échine du vieux cheval dont le trot
pesant soulève les harnais, les fait danser en mesure, et secoue

la charrette d'avant en arrière d'un rude mouvement de tan-
gage. On est au 21 juin, jour anniversaire de ma naissance,
choisi avec intention pour ma rentrée dans la maison paternelle. La chaleur suffoque, les taons sont avides, la poussière
aveugle, mon bras se lasse. Je crie hue! avec moins d'entrain,
ma gorge est sèche, et, devant la route qui se déroule uniforme
entre deux rangées de pommiers noirs, tordus, moussus,
pareils, devant les prairies vertes où ruminent pensives des
vaches au mufle baveux, je me laisse glisser sur la paille qui
garnit la charrette. Là, je m'endors paisible pour me réveiller
stupéfait, ahuri, dans une cour pleine de bruit. J'aperçois une
boîte énorme, peinte en jaune, attelée de quatre chevaux qui
semblent enragés : c'est une diligence. Des hommes courent,
crient, se bousculent, s'interpellent, et ce mouvement, ce
vacarme me terrifient. Je me presse contre ma nourrice; elle
m'annonce que nous sommes à Houdan, que nous allons
monter dans la grande voiture jaune pour aller à Versailles,
voir papa et maman. Je me révolte, je ne veux pas aller à Versailles, je veux retourner chez nous. Je me cramponne à la
blouse de mon père nourricier, qui me raisonne en vain. Des
messieurs me parlent avec de grosses voix, je prends peur et
me tais.

Me voilà dans la grande boîte, sur les genoux de ma nourrice, criant. La voiture s'ébranle, quel désespoir! Pourquoi suis-je parti? c'est le fouet qui en est cause, et je sais quelqu'un qui désormais dédaignera les fouets. Épuisé par mes luttes, mes cris et mes pleurs, je m'assoupis. Toutefois, devenu méfiant, j'entr'ouvre de temps à autre les yeux, afin de m'assurer que ma nourrice me tient toujours. Comme on est mal dans la grande boîte où je suis enfermé, où l'on ne peut bouger! Il y a beaucoup de chevaux qui la traînent, mais je n'ai pas la consolation de les voir. Ma nourrice, peu à peu, réussit à me convaincre que nous retournerons le soir chez nous; je m'apaise, je grignote un morceau de galette, et je me rendors pour ne me réveiller qu'à Versailles.

Encore des cris et du bruit. Le monsieur et la dame qui, quatre fois l'an, venaient me voir chez nous, et que l'on me faisait appeler papa et maman, ce à quoi je consentais en échange des joujoux qu'ils m'apportaient, sont là et nous attendent. Le monsieur veut me saisir pour me tirer de la boîte; à d'autres! La dame me tend les bras, me parle, me sourit, je lui tourne le dos pour me cramponner au cou de ma nourrice, qui met pied à terre. Le monsieur et la dame s'approchent; mes cris les obligent à reculer. J'ai la sottise de croire qu'ils en veulent à ma liberté, à ma vie, et, guidé par l'instinct, qui n'est infaillible que chez les animaux non domestiqués, je me défends.

— Il est un peu sauvage, dit mon père.

— Mais non, s'empresse de répondre ma nourrice; il va avec tout le monde, là-bas. Ce qui l'inquiète, c'est votre redingote; si vous aviez une blouse, il serait déjà après vous.

— Je n'ai pas de redingote, dit ma mère.

— Vous avez un chapeau, et c'est tout comme; là-bas, quand la femme du notaire passait avec son chapeau et qu'elle voulait l'embrasser, il s'ensauvait, le pauvre petit.

Ici, mes impressions redeviennent personnelles, et je me souviens de ma surprise lorsque je pénétrai dans la maison paternelle. Partout des belles choses inconnues, plus belles encore que chez ma grand'mère; mais des cheminées toutes petites, pas de coucou faisant tic tac, et pas l'ombre de huche à pain, ce qui m'inquiète. Dans la cour, pas de poules, pas de canards, pas de dindons; aussi, à toutes les questions que l'on m'adresse, je réponds invariablement :

— Je veux aller chez nous.

— Mais c'est ici, chez nous, me dit ma mère.

Pour le coup, me voilà sérieusement sur mes gardes. Ici, chez nous! allons donc, elle me croit bête ou aveugle, la dame qui est ma maman. Où sont leurs poules, leurs canards? leur fumier, où est-il?

— Je veux aller chez nous.

Ma mère a retiré son chapeau, elle me regarde avec tant de bonté que j'écoute enfin la voix du sang et m'apprivoise un peu avec elle. On se met à table pour dîner, et je remarque qu'il n'y a ni pot à cidre, ni gobelets; que les assiettes, toutes blanches, n'ont ni fleurs sur leurs bords, ni coqs dans leur *mitan*. On m'installe sur une chaise haute, on me fait admirer mon couvert après m'avoir prévenu qu'il est en argent. Cela m'est bien égal que leurs « machines » soient en argent; j'aimerais mieux aller chez nous.

Chaque fois que je parle, je ne tarde pas à le remarquer, mon père et ma mère se mettent à rire. Ce sont les mots que j'emploie, c'est mon accent normand qui les divertit, je ne m'en doute guère, et néanmoins, guidé par l'instinct, je deviens muet. On cause; n'ayant rien de mieux à faire, je m'établis sur les genoux de ma nourrice, j'examine et compare, tout en écoutant. J'entends dire que la dame a vingt ans, que le monsieur en a vingt-six. Elle n'est pas grosse, comme maman Denis, la dame, au contraire. Le monsieur, lui, est plus beau que mon père

2

nourricier. Il a les yeux bleus, un grand front, des cheveux noirs tout frisés, et semble très-sérieux. Cependant, il a un si bon sourire lorsqu'il me regarde, que je lui souris de mon côté. Je n'apprendrai que plus tard qu'il sait nombre de choses intéressantes, que son indulgence sera pour moi sans bornes, que ses sévérités n'auront d'autre but que de me préparer un heureux avenir, que, devenu homme, je n'aurai jamais d'ami qui lui soit comparable, que je ne l'aimerai jamais assez pour n'être pas ingrat.

On continue à causer, cela m'ennuie; mes yeux se ferment, et je préviens ma nourrice qu'il est temps de retourner chez nous. On me conduit dans une chambre qui, me dit-on, sera désormais la mienne. Ma mère, secondée par une jeune fille qui me déclare qu'elle est ma bonne, essaye de me dévêtir; je n'accepte ce service que de ma nourrice. Je m'endors pressé contre elle, et mon dernier mot est :

— Je veux aller chez nous.

On se lève tôt à la campagne, et je possédais les habitudes matinales de mes anciens voisins de fumier, les canards et les poules. Dès six heures du matin j'ai les yeux ouverts, et je promène autour de moi des regards effarés; je suis dans un lieu inconnu. Près de mon lit s'en dresse un autre dans lequel quelqu'un dort. Est-ce ma nourrice qui repose là? Un affreux pressentiment me serre le cœur. Descendre d'un lit ne m'embarrasse guère, me voilà sur le parquet. Je pousse un cri de désespoir en reconnaissant « ma bonne » dans la dormeuse, puis mes cris se succèdent stridents; le voisinage dut croire qu'on m'égorgeait.

On ne m'égorgeait pas, au contraire, car Rose, sortie de son lit, s'ingéniait à me fournir des explications que mes cris ne me permettaient pas d'entendre. « Je veux maman Denis, je veux aller chez nous », sont deux phrases que je répète à satiété. Ma mère paraît, puis mon père. Que me veulent-ils, ceux-là? Ils

2.

m'offrent, si je consens à ne pas pleurer, des joujoux, des bonbons, des gâteaux, de l'argent. Incorruptible; je ne veux que
maman Denis.

Ma mère, que mes cris désolent, s'approche pour me caresser,
et je crois qu'elle veut me battre. Fort en stratégie, je m'enfonce
sous mon lit, forteresse que je sais inaccessible aux grandes personnes. Mon père se penche, m'appelle, essaye de m'amadouer;
il échoue. Changeant de tactique, il me parle avec une grosse
voix. Je me tais, pris de peur. Profitant du silence, mon père, à
l'aide de raisonnements d'une logique puissante, tente à nouveau
de m'attirer hors de la tanière que j'ai choisie; je résiste à la
logique. Mon père s'impatiente, se fâche, veut employer la force
et tire à lui le lit; je me débats avec tant d'énergie, croyant qu'il
en veut à mes oreilles, qu'il renonce à son entreprise. Cher père,
il est le plus fort au fond, et il aurait vite raison de moi s'il ne
craignait de me blesser. Il reprend son sang-froid que mon obstination lui a fait perdre, et déclare judicieusement que toutes les
choses de ce monde ayant une fin, une heure viendra où je me
tairai; ce que ma mère a peine à croire.

Rose n'a que dix-huit ans, mais elle a élevé nombre de frères
et de sœurs. Elle connaît l'humeur des enfants, et possède une
expérience qui manque encore à mon père et à ma mère. Elle

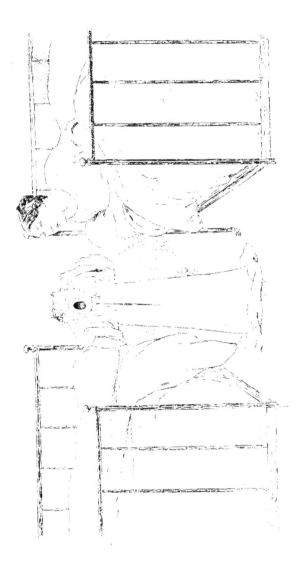

Je pousse un cri de désespoir.

promet, si on la laisse agir seule, de m'apprivoiser. Mon père emmène ma mère, qui répète éplorée :

— Pauvre, pauvre petit !

Elle n'a pas tort ; ma douleur est réelle et, de plus, doublée d'épouvante. Je suis comme un oisillon qui, tombé de son nid et n'ayant pas encore d'ailes, voit flamboyer autour de lui les yeux d'avides carnassiers.

Mon père et ma mère partis, Rose, en apparence, ne s'occupe plus de moi. Elle se met à chanter, doucement, puis elle répète sans relâche que si je cessais de pleurer, que si je me laissais habiller, elle pourrait me conduire chez maman Denis, où l'on m'attend. Peu à peu j'écoute sa chanson, puis je prête l'oreille à ses discours, et je me montre au bord du lit. Rose est assise ; son bonnet, presque semblable à celui de ma nourrice, m'inspire confiance. Je sors de mon refuge, et veux bien que l'on m'habille pour aller tout de suite chez maman Denis. Rose se met à l'œuvre ; épuisé par mes pleurs, calmé par le rhythme de sa chanson, qu'elle a reprise à mi-voix, je m'endors insensiblement sur ses genoux.

Au réveil, je refoule mes larmes prêtes à déborder de nouveau, en voyant au-dessus du mien le gracieux visage de Rose, qui me sourit.

— Il faut aller tout de suite chez…

— Certes, répond-elle, mais d'abord déjeunons.

Je ne veux pas manger, je veux partir. Rose m'arrache la
promesse que j'embrasserai le monsieur et la dame, — mon
père et ma mère, — avant de nous mettre en route. Je m'exécute,
nous voilà dehors, enfin !

Partout des grandes maisons que je trouve laides, il n'y a
devant leurs portes ni poules, ni canards, ni fumier. J'aperçois
au loin des arbres et tire de leur côté. Des arbres ! c'est un commencement de chez nous.

Nous voilà en route pour de vrai, longeant le palais de
Louis XIV, puis nous pénétrons dans le parc. Rose me conduit
au milieu d'une douzaine de bonnes et d'un nombre égal de
jeunes Versaillais des deux sexes, mes compatriotes. Rose me
dit se sentir fatiguée; elle s'assoit sur un banc entre deux de ses
payses. Pressé contre ses genoux, je regarde des enfants courir,
jouer à la balle, au cerceau, traîner des chariots. Parfois l'un
d'eux vient me contempler, surpris sans doute de mon oisiveté.
Une petite fille veut m'emmener jouer, d'un mouvement
d'épaules je fais fuir cette intrigante et je reprends mon antienne :

— Je veux aller chez nous !

Rose me répond oui, sans bouger. Tout à coup, mon

Je m'enfonce sous mon lit, forteresse inaccessible aux grandes personnes.

attention se concentre sur un gars de mon âge qui mange une grosse tartine, et cette vue réveille en moi une bête endormie, la faim. Oh! cette tartine, elle est rouge de confiture, tant il y en a! Son propriétaire s'approche, je m'élance, je lui arrache son pain.

Il pousse des cris de rage, et moi, qui ai tant pleuré le matin, qui ne demande qu'à pleurer encore, je le regarde indifférent. Je n'ai pas l'ombre d'un remords; j'ai peur seulement de me voir reprendre la tartine, et je double les bouchées. Je le certifie, le pain mal acquis n'est pas amer du tout, lorsqu'il est convenablement enduit de confiture, lorsque celui qui le mange a quatre ans, et qu'il a très-faim.

Tandis que les mots : voleur, gourmand, effronté, voltigent autour de mes oreilles sans atteindre mon amour-propre, Rose indemnise ma victime, puis elle m'offre une brioche en me disant qu'il ne faut jamais prendre, qu'il faut toujours demander. Elle est naïve, Rose ; chez nous on ne demandait pas, on prenait, à la condition d'être le plus fort, le plus hardi ou le plus malin. J'ai été l'un ou l'autre ; je suis en règle avec la nature, sinon avec l'équité.

Nous repartons à la recherche de maman Denis, c'est-à-dire que Rose me promène dans le but de me fatiguer. Elle m'établit sur un tas de sable d'où elle a peine ensuite à m'arracher ; car, en dépit ou plutôt à cause de mon chagrin qui a besoin de distractions, je cède vite à l'inexplicable attraction des enfants pour le moulage des petits pâtés. Cinq heures sonnent ; avec mille précautions oratoires, Rose m'explique que chez nous est si loin, si loin, que nous ne pourrons y arriver que la nuit. Aussi pour n'avoir pas à coucher dans les champs, où des loups rôdent, elle me propose de retourner chez le monsieur et la dame, où l'on nous donnera à manger, où nous dormirons tranquilles, d'où nous repartirons le lendemain. Ce raisonnement me paraît si juste que je l'accepte ; je suis plus difficile aujourd'hui.

Docile aux conseils de Rose, qui me paraît tout à fait acquise à mes intérêts, j'embrasse en arrivant mon père et ma mère, afin qu'ils m'accordent l'hospitalité. Rose raconte l'aventure de la tartine; mon père en paraît tout heureux.

— Tu es donc brave, me dit-il en me soulevant de terre et en m'embrassant : tant mieux, c'est une qualité chez un garçon.

Oui, une qualité qui rapporte souvent des horions; je l'ai appris chez nous.

Je consens à m'asseoir à table, sous l'expresse condition que Rose ne s'éloignera pas. On me fête, on prévient mes désirs: décidément le monsieur et la dame sont gentils. Il paraît que je me sers trop de mes doigts et pas assez de ma fourchette ; ma mère s'en désole et mon père m'excuse : on pardonne beaucoup aux braves.

Pendant huit jours, aussitôt le déjeuner terminé, je pars avec Rose à la recherche de maman Denis, et nous échouons invariablement sur le tas de sable que j'ai l'intention de convertir en petits pâtés. Je parle toujours de ma nourrice; mais je suis moins pressé de la revoir. Je commence, sur les conseils réitérés de Rose, à dire maman à la dame qui paraît tant m'aimer, à nommer papa le monsieur qui me fait galoper sur son genou. Le matin, en attendant que Rose soit prête à sortir, je rôde librement dans la maison, dont je connais déjà les coins et les

recoins. On m'a taillé les cheveux, rogné les ongles, et mes
mains sont moins rouges, mon teint est moins basané qu'à mon
arrivée. Toutefois, — les plus mauvaises habitudes sont les plus
tenaces, — ma manche est d'un usage si commode, si rapide,
que j'oublie constamment, à la grande désolation de ma mère,

que ma poche renferme maintenant un mouchoir, ce pavillon
de l'homme civilisé.

Deux mois s'écoulent, et le nom de maman Denis, prononcé
devant moi, me laisse absolument calme. De loin en loin, lorsqu'il me prend fantaisie de ne pas permettre à Rose de me laver
et qu'elle me gronde, je revois mon fumier, mes poules, ma
grand'mère, mes frères de lait, figures déjà vagues comme celles

d'un tableau aux couleurs pâlies. En somme, ma nouvelle existence me plaît; Rose, ma favorite, m'obéit et ne me brusque jamais. De temps à autre, j'accompagne ma mère dans ses visites; ce n'est pas toujours amusant, mais, si l'on dit bien bonjour, je l'ai remarqué, les dames donnent des bonbons. Quant à mon père, il m'emmène volontiers dans ses promenades; mes inépuisables pourquoi l'amusent, et, de mon côté, je trouve qu'il répond bien mieux que ma mère, bien mieux que Rose à mes interrogations. Au résumé, si maman Denis venait me chercher, si elle voulait m'emmener, il est probable que je résisterais. Quel singulier animal que l'homme! comme les chagrins qu'il croit de bonne foi devoir durer toujours sont prompts à s'effacer de son esprit! comme il oublie vite ceux qui l'aiment! comme sa reconnaissance est courte! comme tout ce qu'il croit éternel, en fait de sentiment, est ondoyant et fugace! J'ai dit l'homme, c'est un lapsus, il est bien entendu que je parle et ne veux parler que de l'enfant.

Six mois se passent, et du « gars » aux cheveux en broussailles, aux façons rustiques amené par maman Denis, est sorti, comme un papillon d'une ex-chenille, un enfant presque aimable. On m'appelle M. Lucien dans la maison que je voulais fuir, dont je suis devenu le roi, ce roi fameux qui règne et ne gouverne

pas. De la chenille d'autrefois, je n'ai gardé que le langage et
l'accent : « moi aussi » me semble toujours moins harmonieux à
dire que : *moué itou;* il est vrai que Rose est de mon avis.

Un matin, je vois avec surprise que l'on ajoute deux couverts
à la table dans la salle à manger. J'interroge : on me répond que
ces places sont destinées à ma grand'mère, — côté paternel, — qui
ramène ma sœur de nourrice. Ma sœur ! j'ai une sœur ! On m'en
parlait bien quelquefois, de cette petite, mais je ne croyais pas
qu'elle existât pour de vrai. J'apprends, sans trop le comprendre, que si l'on m'a placé sous la surveillance de ma grand'-
mère maternelle, en Normandie, on a, par contre, envoyé ma
sœur en Picardie, près de la mère de mon père. Il s'agissait
d'éteindre la rivalité qui régnait entre les deux bonnes mamans ;
affaires de famille.

J'accable ceux qui veulent bien me répondre de questions,
essayant d'éclaircir ces points obscurs, et je regarde sans cesse
par la fenêtre. Mon père paraît, donnant le bras à une dame qui
conduit par la main une petite fille de trois ans environ. Sur un
ordre impératif, j'embrasse ma grand'mère, — côté paternel, —
puis ma sœur que j'examine avec soin. Au lieu d'avoir comme moi
des cheveux blonds et des yeux gris, ma sœur a des yeux noirs,
des cheveux noirs et une toute petite bouche. Je suis un peu

surpris qu'elle soit une fille, et, de son côté, cela l'étonne visible-
ment que son frère soit un garçon. Je lui demande si elle veut
jouer, elle ne paraît pas me comprendre. Elle m'adresse à son
tour une question, et je ne la comprends pas non plus. D'où vient

ce phénomène? Il est très-simple : je parle normand, ma sœur
parle picard; il y a une barrière entre nous.

Néanmoins, nous devenons vite bons amis, bien qu'elle ne
veuille jamais perdre de vue sa grand'mère. Huit jours après
son arrivée, je suis réveillé par les cris qu'elle pousse dans la
chambre de ma mère. Je cours, et je vois la pauvre Léontine
étendue sur le parquet. Sa bonne maman est partie, et elle la

3

veut. On lui parle, on la raisonne, elle repousse raisonneurs et raisonnements. Je trouve qu'elle a tort, ma sœur, de faire tant de bruit pour une bonne maman égarée.

C'est, dit-on, avec le secours d'éléphants domestiqués que l'on apprivoise les éléphants sauvages, et ma mère croit rationnel d'employer ce moyen. Sur son ordre, j'essaye de convaincre Léontine que jouer vaut mieux que pleurer; elle ne m'écoute pas. A un moment donné elle se réfugie sous un lit, je la suis dans les profondeurs de cet abri, continuant ma propagande. Comme je tire la chère petite pour la ramener au grand jour, elle m'égratigne, je riposte, une bataille s'engage, et bientôt nous sommes deux à crier. Ma mère et Rose, qui ne peuvent se glisser sous le lit, m'ordonnent de lâcher Léontine, de revenir. Je ne demande pas autre chose, mais toujours la vieille histoire, c'est elle qui ne veut pas me lâcher. Enfin je reparais, rouge, ébouriffé, la joue balafrée. Après le rôle infructueux d'éléphant, je viens de jouer, avec le même insuccès, celui du furet qui poursuit le lapin dans son terrier, et le lapin a triomphé. Je renonce à intervenir davantage, et Léontine, la voix rauque, épuisée, s'endort dans son refuge.

Le soir, elle est installée dans ma chambre, qui va nous devenir commune pendant plusieurs années. Rose, avec sa douceur, a peu à peu raison du chagrin de la pauvre petite. Il est juste d'ajouter que je l'aide beaucoup dans cette œuvre, car j'ai repris le rôle d'éléphant civilisateur. En huit jours, plus

ou moins, Léontine est définitivement conquise à la société, et je possède un complice pour mes futures entreprises.

Au physique, je lui dois cette vérité, Léontine remplissait déjà très-consciencieusement son devoir de fille, elle était jolie alors que j'étais simplement gentil. Au moral, elle se montrait douce, patiente et entêtée. Moi, j'étais remuant, entreprenant,

3.

despote. Les dix-huit mois d'avance dans la vie que j'avais sur
elle me donnaient une supériorité, me permettaient de la com-
mander, et je n'y manquais pas. Au résumé, j'eus bientôt motif
de me réjouir de sa venue; j'avais quelqu'un avec qui jouer, un
manœuvre qui m'apportait des matériaux lorsque j'entreprenais
un travail quelconque, un Vendredi, enfin. Ce bon Vendredi,
il faillit m'apprendre le picard, et je faillis lui apprendre le normand. Par un accord tacite, nous adoptâmes une langue inter-
médiaire, celle que l'on parlait à Versailles et que parlaient nos
parents, c'est-à-dire le français.

Qu'elles sont loin, ces années qui ont fui si vite, ces heures
dont moi seul aujourd'hui peux rendre témoignage! Quoi! c'est
moi, moi dont les cheveux grisonnent, que je revois courir,
blond, rose, insouciant, dans la grande maison, récemment
démolie, que mon esprit reconstruit avec une si minutieuse
exactitude! Mon père s'asseyait là; et aussitôt son chat favori,
auquel il m'était défendu de tirer la queue, accourait sur ses
genoux. Au coin de cette fenêtre ma mère brodait, et Léontine... Mais n'anticipons pas.

CHAPITRE II

Lorsqu'à force de jouer avec ma sœur et nombre de petits amis dans le parc de Versailles j'eus atteint ma sixième année, j'étais devenu, aussi bien au physique qu'au moral, un être plus que jamais distinct de celui que maman Denis avait amené à Versailles. J'avais grandi, ce qui me permettait de m'approprier une multitude d'objets autrefois hors de ma portée, et ma raison s'était beaucoup développée, mais dans un mauvais sens. Je passais alors pour un petit animal très-vif d'allures, aux idées originales, parfois extravagantes. Ma mère me trouvait charmant, ce qui ne l'empêchait pas de me gronder plusieurs fois par jour en me qualifiant de « monstre ». Par crainte, beaucoup plus que par volonté, j'obéissais assez volontiers aux grandes personnes, Rose exceptée. Pourtant elle m'adorait, la pauvre fille, et je le lui rendais amplement. C'est que, bien qu'espiègle, je n'étais ni méchant ni ingrat, étant encore trop petit.

Alors que ma conduite générale laissait beaucoup à désirer, ma sœur, plus circonspecte que moi, bien que plus jeune, ne méritait que des éloges. On me la donnait sans cesse pour modèle; c'était le monde renversé. Elle me prêchait véritablement d'exemple, cette petite, en refusant de s'associer à de certains jeux que j'inventais, en me pronostiquant que je serais grondé, ce qui ne manquait jamais d'arriver. Au résumé, tandis que Léontine se salissait à peine, qu'elle se tenait tranquille près de ma mère, je décorais mes vêtements de taches, et l'on me trouvait à coup sûr là où je ne devais pas être. Léontine rangeait plus qu'elle ne dérangeait; moi, en dépit des défenses les plus expresses, je touchais aux livres de mon père, à ses cigares, aux aiguilles, au dé de ma mère, surtout à ses ciseaux. Ah! ces ciseaux, comme ils coupaient! Un jour, ils me servirent à tailler le bas des rideaux du grand salon; en moins d'une heure, je fis pour plus de trois cents francs d'ouvrage, je n'avais jamais rien entrepris d'aussi important. Mon père, peu reconnaissant, s'oublia pour la première fois jusqu'à me donner le fouet, mais un fouet si bien appliqué que je crois le sentir encore. Aussi, bien qu'il y ait longtemps de cela, vous ne me feriez pas, aujourd'hui, découper un rideau pour tout l'or du monde.

— Il faut décidément envoyer ce garnement à l'école, avait dit mon père.

Ma mère, ma sœur et Rose se mirent à pleurer; quant à moi, je crus que j'allais pleurer durant le reste de ma vie, tant cela me cuisait.

Le surlendemain, il n'y paraissait plus. En furetant un peu partout, selon mon habitude, j'aperçus les ciseaux. Comme ils reluisaient! mais je n'y touchai pas, je feignis même de ne pas les voir; je leur gardais rancune.

Quelle injustice! car enfin, c'était aux rideaux et non aux ciseaux que je devais d'avoir été fouetté. Ces grands bêtas de rideaux qui traînaient sur le parquet, j'avais tout bonnement voulu les raccourcir afin de les empêcher de ramasser la poussière. Désormais, ils pourraient bien traîner tant qu'ils voudraient, sans que l'idée me vînt de leur rendre le moindre service, cela m'avait trop cuit.

Un mois s'écoula, et, en dépit des conseils de Léontine, je continuai à rassembler les chaises au milieu du salon, à grimper sur les fauteuils, à toucher à l'encre dans les bonnes occasions, en un mot, à remplir aussi scrupuleusement que possible mes devoirs d'enfant de six ans passés, tels que je les comprenais alors.

Un jour, ma mère me conduisit chez un de mes petits camarades qui possédait un théâtre de carton, pourvu d'acteurs, d'actrices et d'un carrosse, celui de Cendrillon. Je ne connaissais rien d'aussi merveilleux, et, dès cet instant, je tins mon ami pour l'être le plus heureux de la terre. Le petit Jules, plus complaisant que je ne l'aurais été à sa place, me permit de manier les décors, et m'apprit le nom de ses bonshommes. Il leur fit même exécuter un bout de comédie, en mon honneur. Lorsque ma mère m'appela pour retourner au logis, je commençais à me figurer que le théâtre m'appartenait, et je venais de l'arracher des mains de son propriétaire.

— Il n'est pas à toi, me dit-il surpris.

— Il est à moi, répondis-je effrontément.

— Non, c'est papa qui me l'a donné; mais je veux bien te le prêter.

L'ancien gars normand montrait le bout de l'oreille, la dou-

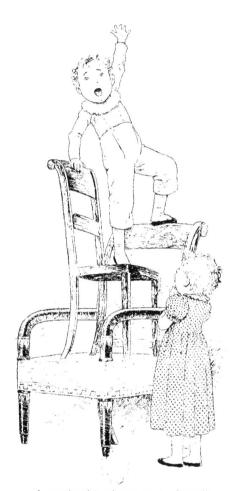

Je continuai à grimper sur les fauteuils.

ceur de Jules le désarma. S'il ne m'eût pas prêté cette collection de bonshommes, nous nous serions battus, j'aurais été le plus fort et...

Il était temps, pour ma bonne renommée, que ma mère m'emmenât.

Le long de la route, je la priai, sur tous les tons, de m'acheter un *spectacle* semblable à celui de Jules. J'appris alors que Jules était doux, obéissant, qu'il mangeait du pain avec sa viande, qu'il se tenait tranquille à table, qu'il gardait un tablier pendant deux jours sans le salir, et que j'étais tout l'opposé de mon ami. Toutefois, ma mère ajouta que, si je voulais ne plus grimper partout, ne plus rien casser, ne rien décrocher, devenir raisonnable en un mot, ainsi que l'exigeait mon âge, on pourrait, plus tard, m'acheter un théâtre aussi beau, plus beau même que celui qui causait mon envie.

Plus tard! c'est toujours trop long. Je ne voulais pas un plus beau théâtre que celui que je venais d'admirer, j'en voulais un pareil. Mais plus tard, cela voulait dire jamais.

Trois jours s'écoulèrent, et ma mère me déclara que je devenais enfin gentil. Franchement, c'était involontaire. Le théâtre de mon petit camarade me trottait si bien par la tête, que je ne songeais qu'au moyen de m'en procurer un semblable;

absorbé par cette préoccupation, j'oubliais de salir mes habits, de tourmenter le chat, de faire pleurer Léontine, de déranger les meubles, de mal faire.

Lorsque Archimède, entrant dans un bain, découvrit qu'un corps plongé dans un fluide est poussé de bas en haut avec une force égale au poids du fluide qu'il déplace, il s'élança dans la rue en criant aux Syracusains, ses compatriotes : J'ai trouvé! Moi aussi, tandis que Rose me baignait, je résolus en partie mon problème; mais, plus discret que le philosophe grec, je me gardai de faire part aux Versaillais de ma découverte. Je me montrai d'une sagesse si exemplaire, durant plusieurs jours, que ma mère s'inquiéta et me crut malade. Malade! ah bien, oui! jamais je n'avais été plus dispos, et je ménageais à tout le monde une fière surprise; oui, à tout le monde, même au chat.

Mon père possédait un cabinet garni de livres, sanctuaire dans lequel je ne devais pénétrer que lorsqu'on m'y appelait. On ne m'y appelait guère, et j'y pénétrais souvent. Lorsque j'y rencontrais mon père, il m'embrassait, et me mettait irrévérencieusement à la porte; s'il était absent, je fouillais à mon aise dans sa corbeille à papier, je travaillais avec ses plumes, ses crayons, son canif et ses pains à cacheter. Oh! les pains à cacheter, ils m'ont valu plus d'une gronderie, et cependant je ne leur en veux pas, tant ils m'ont fait passer de douces heures. Pauvres enfants d'aujourd'hui, grâce aux enveloppes gommées, ils ignorent les joies que peut procurer une boîte de ces disques multicolores, que l'on mouille et qui collent. Combien en ai-je fixé sur les tables, les fauteuils et les vitres, où ils faisaient un si magnifique effet, que je payais invariablement d'un déjeuner au pain sec !

J'eus soin de choisir mon heure, et je pénétrai dans le cabinet. A l'œuvre, maintenant. Eh bien ! ce n'est pas facile, allez, de construire un théâtre quand on a six ans, et que l'on ne connaît aucun des principes de l'architecture. Il fallut y employer la reliure d'un gros atlas, puis celle d'un album. Les ciseaux, ce jour-là, accomplirent une rude besogne. D'abord c'était trop long, puis trop court, ensuite trop long : je m'y perdais. Enfin le théâtre se dressa ; mon cœur commença à battre. Il fallait des acteurs, je ne l'avais pas oublié. Deux volumes des *Voyages* de Levaillant en Afrique, laborieusement descendus des plus hauts rayons de la bibliothèque, me fournirent ce que je cherchais. Je trouvais là dedans des Hottentots et des Hottentotes, des lions, des singes, des girafes, oui, des girafes ! Ces belles images furent découpées une à une, tant bien que mal, et placées en perspective. La girafe suivait un Cafre, que précédait un éléphant, côtoyé par un singe que dominait une seconde girafe. Je demeurai longtemps immobile, émerveillé moi-même de la perfection de mon œuvre. Le chat vint à passer; je le saisis et le plaçai près de la scène, comme celui qui présidait aux méfaits de Polichinelle. L'ingrat veut fuir, j'insiste, il me griffe! Je n'avais pas le temps de pleurer; il me fallait un spectateur, et je sors du cabinet pour aller chercher Léontine.

Je rencontre mon père. O naïveté! Je lui prends la main, je l'entraîne. Mon spectateur sourit d'abord; je me range pour mieux jouir de son admiration. Il s'approche, cesse tout à coup de sourire, laisse échapper une exclamation de colère, me soulève, et je reçois la même récompense qu'après l'aventure des rideaux! Je pousse des cris affreux; ma mère accourt.

— Regarde! s'écrie mon père en montrant les livres mutilés.

Ma mère recule d'horreur.

— Il finira mal, dit mon père.

Ma mère pleure, et son chagrin, dont je suis cause, me fait sangloter plus fort. Rose arrive et veut m'emporter, pour me consoler. Mon père l'écarte, me prend par une oreille et me conduit lui-même dans ma chambre, où il m'enferme. Je reste seul, étourdi, foudroyé; avec une médiocre idée de la façon dont on récompense les artistes, et convaincu que la colère de mon père vient surtout de ce que j'ai pris sa girafe. Que ne l'a-t-il dit? Je la lui aurais rendue, sa girafe.

Trois jours après cet événement, Rose m'habilla de meilleure heure que de coutume et m'amena dans la salle à manger. Là, je vis ma mère occupée à enduire de gelée de groseille, — mes confitures de prédilection, — trois belles tartines qu'elle plaça au fond d'un petit panier, en compagnie d'une pomme et d'un gâteau. Puis tout à coup, sans préparation, j'appris que mon père allait me conduire à l'école, endroit où les enfants étaient dressés à obéir et, soi-disant, à respecter les livres.

Je n'avais pas précisément envie de rire. L'école, je ne la connaissais que de nom : était-ce bon? était-ce mauvais? Je n'en savais rien. Je me serais décidé à pleurer sans la perspective des tartines et de la pomme. Mon père sort de son cabinet, il me remet avec gravité un petit livre à couverture bleue sur laquelle je vois un enfant à genoux, coiffé d'un bonnet d'âne. Cet encouragement me semble de mauvais augure. Ma pauvre mère m'embrasse alors comme si elle ne devait plus me revoir, ce qui m'attendrit. Léontine, effrayée, se cramponne à mon cou pour me retenir. Rose, qui dissimule ses pleurs, s'empare du panier, me prend par la main, et nous voilà en route, mon père devant.

Après une course qui me parut un peu longue, je pénétrai dans une allée et je me trouvai à l'improviste dans une vaste chambre meublée de petites chaises et d'enfants de mon âge. Un monsieur à figure écarlate, dont l'habit avait cent fois plus de taches d'encre que le mieux réussi de mes tabliers, s'avança en souriant et m'embrassa. C'était M. Delalot, le maître d'école.

— Messieurs, cria-t-il en frappant sur son bureau avec une règle, voici un nouveau camarade que je vous recommande.

Les messieurs auxquels on me recommandait me firent chacun une grimace à la dérobée. Rose me pressa contre son cœur, et mon père se retira, reconduit par le professeur.

Il y a quelque temps, je recueillis un pauvre moineau, et je le plaçai dans une cage peuplée d'une douzaine de chardonnerets. Je ne l'avais pourtant pas recommandé; mais, à peine entré, il fut cerné, bousculé, plumé, et courut se réfugier dans un coin. J'avais déjà reçu trois coups de coude et une rude poussade lorsque M. Delalot rentra. A sa vue, le silence le plus profond s'établit, et le digne professeur me soumet à la torture d'un examen. Je connaissais mes lettres et je savais à peu près les assembler, grâce à ma mère. Je fus catalogué dans la deuxième division, en queue de laquelle je pris place. Une heure

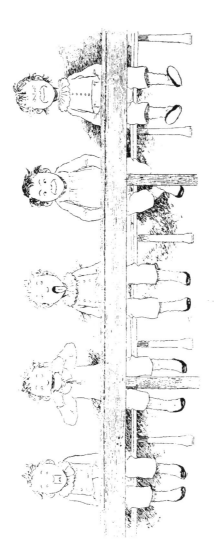

Les messieurs auxquels on me recommandait me firent chacun une grimace à la dérobée.

plus tard j'avais appris comment on transforme en galiote une cocotte en papier, décidément l'école avait du bon.

Cette opinion, que je maintiens, se modifia cependant quelque peu dans mon esprit le jour où M. Delalot mit ma main en contact avec sa férule... mais, encore une fois, n'anticipons pas.

Le jour de leur début à l'école, je me hasarde à l'affirmer, est pour sûr resté vivant dans l'esprit de tous ceux qui ont subi cette épreuve; pour moi, ce début fut d'autant plus notable qu'il était, après la brusque apparition de ma sœur, le premier événement grave qui m'arrivait depuis ma rentrée dans la maison maternelle. Si je m'attarde un peu sur ce fait, ne me blâmez pas trop, vous qui me lisez : contentez-vous de vous souvenir.

A l'heure du goûter, qu'un son de cloche m'annonça, je suivis mes nouveaux compagnons au réfectoire, où s'étalaient des douzaines de paniers, moins neufs que le mien. Je m'assieds, je l'ouvre, ce bienheureux panier, dont je savais par cœur le contenu, décidé à manger d'abord la pomme. Je lance un cri désespéré, le panier est vide! Plus de pomme, plus de gâteau, plus de tartines! Tout est perdu, mangé! Par qui? Pas par moi, car alors je ne pleurerais pas.

Ils veulent savoir mon nom, mon âge.

M. Delalot accourt, constate le désastre, et veut me consoler. Allons donc, est-ce que l'on se console, à six ans, d'une pomme et d'un gâteau perdus? Le bon maître d'école disparaît en un instant, puis me rapporte une poire, une tartine couverte de fromage blanc et un morceau de pain d'épice. Je pleure un peu moins fort, et, entre deux sanglots, je mords dans la poire, puis dans le pain; je ne pleure plus du tout, le fromage est sucré!

Pendant que je le savoure, la justice informe, c'est-à-dire qu'une enquête sévère a lieu. Oh! les enquêtes, comme elles datent de loin! Celle-ci donna pour résultat que mon goûter avait été pris ou mangé; c'est drôle! je m'en doutais.

Quand les paniers sont vidés, mes nouveaux camarades m'entraînent dans une cour sablée. Quelles gambades! quels cris autour de moi! on se poursuit, on se culbute, on se bat. Des grands, — ils ont bien une huitaine d'années, — m'entourent et m'interrogent. Ils veulent savoir mon nom, mon âge, ce que fait mon père. Je satisfais ces curieux, dont je retrouverai plus tard l'espèce chez les hommes. Un des interrogateurs déclare soudain qu'il connaît ma maison, qu'il passe tous les jours devant; je perds aussitôt de mon prestige; on me croyait sans doute domicilié en Chine?

Mes camarades sont approvisionnés de billes, de toupies; ils
sortent de leurs poches, en apparence inépuisables, des boucles
de pantalons, des images, des boutons, des soldats de plomb.
On me demande à voir ce que « j'ai »; j'avoue, un peu honteux, que mes poches ne contiennent que mon mouchoir et un
sou. Toutefois, pour me réhabiliter, je me hâte d'énumérer les
jouets qui sont chez nous; on m'engage avec instance à les
apporter, afin de les « faire voir »; puis on exige que je montre
mon sou. En somme, je suis un peu dépaysé au milieu de cette
bande d'inquisiteurs, et je ne bouge guère du coin où je me
suis confiné. Je n'ose ni courir, ni sauter, ni crier : on me
prend pour un lourdaud.

Si je reste coi, j'observe avec soin. Quelle diversité d'allures,
de caractères parmi ceux qui m'entourent! J'ai l'embarrassant
honneur d'être le point de mire général, et chacun de mes nouveaux camarades s'évertue à me donner une fausse idée de sa
personne, à se faire craindre ou admirer. L'un, qui, je le saurai
deux jours plus tard, est un brave enfant, bouscule un petit
pour me démontrer qu'il est un enfant brave, me regarde sous
le nez et me pousse, bien qu'il sache d'avance que je n'oserai
pas riposter. Un autre me couvre de sa protection; c'est sans
doute un nouveau qui n'a pas encore oublié ses angoisses de la

première heure, un cœur généreux. Par malheur, il gâte sa bonne
action en me faisant promettre de partager avec lui tous mes
gâteaux à venir. Plusieurs étalent sous mes yeux des agrafes,
des plumes, des crayons, et me proposent de me les donner en
échange de mon sou, en me déclarant qu'ils y perdront. Après
quelques hésitations, mon sou passe de ma poche dans celle de
l'un de ces généreux négociants, qui me livre en échange un
cheval de plomb, auquel manque une jambe. Gogo en herbe,
je suis ravi de mon achat : hélas! par la suite, j'en ferai de plus
mauvais encore : on naît prédestiné.

Deux grands me donnent des conseils, et me recommandent
surtout de ne jamais rapporter, si je veux conserver ma personne intacte. J'apprends, en dressant l'oreille, que M. Delalot
est très-sévère, et que sa férule, une des plus dures connues,
a été taillée par un nègre dans du bois de fer, ce qui me fait
frissonner. En somme, tout ce que je vois, tout ce que j'entends,
m'ouvre des horizons inattendus. L'un vient m'offrir son amitié,
dont il me garantit lui-même la solidité. Un autre me murmure
à l'oreille qu'un tel est un « cafard », auquel je dois refuser
mon estime. Je vois se dessiner les affinités, les haines, les
jalousies qui agitent ce petit monde; il y a plus de l'homme
qu'on ne croit dans l'enfant.

Je ne sais à qui entendre ; néanmoins, la récréation se passe sans dommage pour moi, et, lorsqu'un son de cloche nous rappelle en classe, je reprends, poussé plutôt que guidé, ma place en queue de la deuxième division. M. Delalot, du haut de son bureau, explique le mécanisme de la numération ; pendant ce temps, mon voisin de droite me fabrique, à l'aide de papier mâché, un oiseau pourvu de quatre pattes, phénomène que je n'ai jamais revu depuis ; moins fantaisiste, mon voisin de gauche enrichit mon ardoise neuve d'un monsieur qui fume une pipe. Ces chefs-d'œuvre réveillent en moi un sens artistique que je ne me connaissais pas, et, délaissant la numération, j'essaye de les imiter. Cinq heures sonnent, on procède à la prière, puis nous défilons dans le réfectoire pour reprendre nos paniers. A la porte, chacun retrouve quelqu'un des siens : son père, sa mère ou sa bonne. Moi, je suis saisi par la chère petite Rose, qui, surprise de me voir vivant, me serre frénétiquement sur son cœur et m'interroge. Je lui raconte à peu près les incidents de la journée, narration qu'il me faut recommencer pour ma mère. Celle-ci s'indigne du vol de mon déjeuner, de la poussade de l'enfant mal élevé, et se propose d'aller en causer avec M. Delalot. Mon père, lui, ne s'occupe que de la poussade.

— Je ne veux pas que tu cherches querelle à tes camarades, me dit-il; mais je ne veux pas non plus que tu te laisses battre. Si l'on te frappe, riposte; il ne faut pas être victime des méchants.

Après le dîner, c'est Léontine qui m'accable à son tour de questions, et je lui apprends ce que je n'ai révélé ni à ma mère ni à Rose, à savoir que je sais fabriquer des bateaux en papier et dessiner. Comme preuve, je lui esquisse un monsieur qui fume; mon bonhomme est si bien réussi, qu'elle confond, faute de savoir regarder, le bras avec la pipe. Je lui explique ensuite que, pour ressembler à mes camarades, il me faut « beaucoup d'affaires », et qu'elle doit m'aider à m'en procurer. Grâce à elle, ma poche se garnit d'un dé à coudre hors d'usage, d'un morceau d'étoffe bleue, d'un carré de fer-blanc et d'une bergère en bois.

Le lendemain, en me rendant à l'école, je trouve dans l'avenue de Paris un colimaçon, que je glisse dans ma poche : il va en voir de drôles!

A l'heure de la récréation, j'exhibe mes trésors, qui obtiennent un succès sur lequel je ne comptais pas. Mon colimaçon, bien qu'il ne montre pas ses cornes, ce que l'on attribue d'une voix générale à sa jeunesse, me vaut des offres magnifiques;

mon carré de fer-blanc, de son côté, est l'objet de demandes très-suivies. Je troque ces deux merveilles contre une toupie et un clou aimanté. Mais le bruit se répand que le colimaçon a montré une de ses cornes, et ce phénomène, que personne n'a vu, double, triple le prix de l'infortuné mollusque. Un million-naire l'achète trois sous, et le revend presque aussitôt pour cinq, payables on ne sait quand. La hausse ne s'arrête pas là ; mon trésor devient la propriété d'un fanatique qui, aliénant sa liberté, promet d'exécuter tous les devoirs, toutes les commis-sions du vendeur. Après avoir fait trois fois le tour de la classe et beaucoup vieilli pendant ces voyages, le colimaçon vient échouer sur la table de M. Delalot, dernier enchérisseur, qui le paye de trois coups de férule.

Au lieu d'engager, comme nous, la curieuse bête à montrer les cornes, voilà que M. Delalot veut connaître le nom du « mauvais garnement », — ce sont ses expressions, — qui s'est permis d'introduire un mollusque dans la classe. Je passe un moment pénible, très-pénible, en voyant la férule s'agiter, en entendant parler de châtiment exemplaire. O sublime solidarité des faibles contre le puissant ! personne ne me trahit. C'est égal, je n'apporterai plus de colimaçon, c'est trop compro-mettant.

Huit jours après mon entrée chez M. Delalot, on m'eût très-
fort désobligé en me retirant de son école. Par bonheur, on n'y
songeait guère; mon père, ma mère et Rose gagnaient à mes
absences quelques heures de tranquillité, et Léontine un sur-
croît d'amitié. Quant à moi, outre l'art de « caler » au jeu de
billes, de corder une toupie, de la faire ronfler, et de troquer
mille objets hétérogènes contre d'autres non moins hétérogènes,
j'apprenais, à mes moments perdus, à lire, à écrire et à compter.
Mais les beaux jours sont invariablement suivis d'orages; il en
fondit un sur moi.

« Je ne veux pas que tu te laisses battre », avait dit mon
père; ce précepte, oublié dans un coin de ma mémoire, se
réveilla pendant une récréation. Remuant, mais doux et paci-
fique, je supportais avec patience les petites avanies que m'in-
fligeaient les matamores de l'école. Je pleurais bien un peu à
l'heure où s'exerçaient leurs vexations, sans toutefois prendre
de revanche; aussi les faux braves, à me voir si débonnaire,
s'enhardissaient de plus en plus.

Pour une multitude de causes, je ne racontais jamais à personne ces heures d'amertume. D'abord, je craignais d'être
traité de « cafard » par mes condisciples, d'encourir le blâme
de mon père, qui n'admettait pas que l'on reçût sans rendre,

puis de perdre mon ascendant sur Léontine, si je lui apprenais que l'on pouvait me braver. Restaient deux confidentes, ma mère et Rose.

Mais ma mère prenait si à cœur ce qui m'arrivait de fâcheux, que je redoutais son intervention. Quant à Rose, ne parlait-elle pas sans cesse d'arracher les yeux de quiconque me molesterait, fût-ce M. Delalot? Ne voulant voir personne sans yeux, je me taisais.

Donc, une après-midi que mon goûter se composait d'une tartine enduite de ces confitures de groseilles que j'aimais tant, voilà que Forot, qui me dépassait du front, m'arrache brusquement mon pain. Alors, avec un cynisme qui m'indigne encore, il plonge, suce et replonge son doigt indicateur dans les trous que Rose, qui s'y entendait, comblait toujours. Au lieu de me souvenir que j'ai agi autrefois de la même façon, et de me montrer indulgent, je pleure, je gémis, je crie!

Forot, qui craint un scandale, me pousse du coude et me regarde en louchant d'une façon affreuse, pour m'intimider et me forcer à me taire. Cette goutte d'eau fait déborder le vase; je me précipite sur le loucheur, je l'entoure de mes bras. Surpris, il remet ses yeux droits, m'enlace à son tour, et poitrine contre poitrine, nous luttons pour nous renverser. Il tombe, m'entraîne; je tombe dessus. Il saisit mes cheveux et tire, la douleur m'excite, et les coups pleuvent sur son visage. Il crie « Assez »; mais j'ignore encore les lois de la chevalerie et je frappe sans trêve. M. Delalot survient, m'ordonne de lâcher;

je n'ai ni le loisir de l'écouter ni celui de lui obéir, j'ai à me défendre. Il m'enlève, et, du même coup, il enlève Forot, car nous sommes accrochés comme deux hannetons. Enfin, je cède, Forot retombe sur le dos et remplit le réfectoire de gémisse-ments, plus motivés par le dépit de sa défaite que par les contusions qu'il me doit. M. Delalot, qui n'a pas l'air content, au contraire, dédaigne toute enquête et s'en prend au vainqueur. D'une voix brève, il m'enjoint d'étendre les bras, d'ouvrir mes mains. J'obéis avec candeur, et deux formidables coups de férule me cinglent les doigts. Les cris de Forot sont aussitôt couverts par les miens; je danse, je trépigne, il me semble que chacune de mes mains contient un charbon ardent. On ne m'avait pas trompé, elle était en bois de fer, la férule de M. Delalot, et le nègre qui l'avait cueillie, non content de l'avoir trempée dans du vinaigre, devait l'avoir saupoudrée de poivre enragé.

Le soir, ma gaucherie, dont mes mains gonflées sont cause, attire l'attention de ma mère. Elle m'interroge, et il me faut bien raconter la vérité.

Pauvre chère mère, elle prit l'aventure au tragique, réclama son chapeau, rajusta les rouleaux de ses cheveux, et se mit en devoir de se rendre chez M. Delalot, auquel il lui tardait de communiquer sa façon de penser. Rose, prête à l'accompagner, plaça, dans sa hâte, son grand bonnet un peu de travers. J'appris, par ses exclamations, que j'étais un agneau, Forot un loup, et M. Delalot un tigre, auquel les parents avaient tort de confier leurs enfants. Rose exagérait, comme le lui dit mon père, qui, après m'avoir interrogé à fond, jugea froidement le cas.

— As-tu commencé? me demanda-t-il à plusieurs reprises.

— Mais non; Forot n'avait pas de tartine.

— Et tu as été le plus fort?

— Non; c'est M. Delalot qui a été le plus fort.

Le lendemain, mon père se chargea de me conduire à l'école, et Forot, aussitôt appelé, comparut à mon côté devant M. Delalot. Il n'y eut point de débat contradictoire; mon camarade avoua noblement avoir eu tort et m'embrassa. M. Delalot, pour sa part, expliqua que c'était ma résistance à ses ordres réitérés de lâcher mon adversaire, que j'endommageais, qui l'avait obligé à sévir. Bref, les choses s'arrangèrent à l'amiable, à la grande indignation de ma mère et de Rose, qui prédit à monsieur et à madame que l'on me rapporterait un jour sur un brancard, à demi massacré par le féroce M. Delalot, ce dont elle se lavait les mains.

A dater de cette aventure, je vécus en paix et n'eus plus à me battre. On ne me retira de chez M. Delalot que dix mois plus tard, alors qu'il m'avait à peu près enseigné tout ce qu'il savait de belles-lettres. Je l'aimais bien, et je vois encore son visage pourpre, ses lunettes bleues, ses boucles d'oreilles qui

5

lui donnaient un air si distingué, du moins à mes yeux; je revois
même, sans trop de rancune, sa terrible férule, avec laquelle
j'eus encore quelques démêlés. En somme, le bon maître
d'école m'apprit à lire, à compter, à former mes lettres : j'ai
rencontré dans ma vie des gens qui m'ont fait plus de mal que
lui, sans m'avoir rien appris.

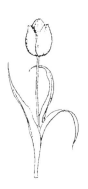

CHAPITRE III

Les jeudis, mon petit ami Jules, que ma mère considérait avec raison comme un enfant bien élevé, venait souvent passer la journée avec ma sœur et moi. On nous lâchait dans un jardinet situé derrière la maison, et nous jouions de préférence aux soldats. Jules, à peine arrivé, se transformait en général anglais, et moi en maréchal de France, grade que j'avais péniblement conquis, car Jules l'avait ambitionné. Quant à nos soldats, ils étaient représentés par Léontine, puis par un nombre incalculable de bataillons imaginaires que nous faisions manœuvrer avec conviction. Oh! le bon, l'heureux temps où mon imagination transformait les bornes en citadelles, les touffes d'herbe en forêts, le premier bâton venu en cheval fougueux! Depuis lors j'ai possédé de vrais chevaux, et le seul que je regrette, c'est celui-là.

Un jeudi, au moment où j'emportais d'assaut un bastion, une ondée vint nous surprendre, il fallut renoncer à la victoire et rentrer. Nous nous installâmes près de Rose, qui, pour nous tenir en repos, nous raconta l'histoire de deux orphelins dévorés par un ogre. A cette terrible conclusion du récit, nous nous mîmes à sangloter, Léontine et moi, tandis que Jules demeurait impassible.

— Lorsque je serai grand, m'écriai-je, dans un élan généreux, j'exterminerai les ogres. Tu m'aideras? dis-je à mon ami.

Il se mit à rire et répondit :

— Bête, il n'y a pas d'ogres, papa me l'a dit.

Je n'avais jamais vu d'ogres, cela est indubitable; néanmoins, avec la conviction chaleureuse que, devenu homme, j'ai plus d'une fois dépensée pour défendre des faits dont j'étais encore moins sûr que de celui-là, j'entamai un long plaidoyer pour démontrer l'existence des terribles géants. Dans cette discussion, j'étageai avec candeur mes arguments sur l'histoire si authentique du Petit Poucet, et l'imagination de ma sœur, complice de la mienne, me prêta l'appui de son autorité. Alors que nous le tenions pour convaincu, Jules, avec son impassibilité irritante, nous répliqua :

— L'histoire du Petit Poucet est un conte; il n'y a pas d'ogres.

Les enfants, et nombre d'hommes conservent cette humeur, n'aiment pas la contradiction. J'eus donc la tentation, — qui ne le comprendra? — de tomber à coups de poing sur mon interlocuteur, afin de lui bien démontrer que j'avais raison. Mais il était mon hôte, et j'eus assez d'empire sur moi-même pour respecter en lui les lois de l'hospitalité. Toutefois, entendre mettre en doute les aventures du Petit Poucet me suffoquait; j'interrogeai Rose.

— Pour sûr qu'il doit y en avoir, des ogres, me répondit-elle, puisque c'est dans un livre que j'ai appris ce que je vous ai raconté.

Dans un livre! elle avait appris le conte dans un livre! Comment ne pas s'incliner devant une pareille preuve! J'ai longtemps tenu pour incontestable, je l'avoue, tout ce que rapportent les livres. Aujourd'hui, devenu méfiant, je ne crois plus guère que ceux qui flattent mes idées, mes croyances ou mes préjugés, et je ne me donne pas pour une exception.

Fort de la réponse de Rose, je me tournai vers Jules avec compassion :

— S'il y a des ogres, dit-il, fais-les voir.

Ah! si j'en avais tenu un, il l'aurait vu, mon ami Jules, et j'aurais joui avec délices de sa peur d'abord, puis de sa confusion. Il n'est pas de plus grand plaisir pour les hommes, pour les enfants, veux-je dire, que de se prendre en défaut. Ne possédant pas d'ogre que je pusse « faire voir », je m'écriai :

— Il y en a un dans le jardin.

Jules me regarda, vit bien que je venais de mentir et dit :

— Allons le chercher.

— Allons.

Nous défilâmes. Léontine, qui marchait en tête, s'arrêta net au moment de pénétrer dans le jardin.

— Qu'as-tu vu? lui demandai-je.

— Si nous allions trouver un ogre pour de vrai? dit-elle.

Hum! me voilà un peu inquiet; car enfin... Jules répète :

— Il n'y a pas d'ogres.

Sous ce coup d'éperon, je repars en avant.

Mon ami, je le savais par vingt victoires remportées sur lui, soit comme maréchal, soit comme simple particulier, n'était pas plus brave que moi, et je n'en revenais pas de son audace.

Pour le forcer à réfléchir, je lui proposai de nous armer, afin d'être prêts à recevoir l'ogre que j'allais lui montrer, si ledit ogre tentait d'abuser avec nous de sa force. Je possédais un arsenal assez complet, et bientôt Jules brandit un sabre à lame

de bois, tandis qu'à sa ceinture pendait un pistolet dont le ressort lançait une bille à trois pas, ce qui était suffisant, à mon avis, pour intimider le géant le plus féroce. Léontine, qui n'aimait ni les armes blanches ni les armes à feu, s'était emparée du fourreau du sabre. J'avais gardé pour moi un fusil dont le chien s'abattait avec bruit, — quand il voulait bien s'abattre, —

arme éprouvée avec laquelle j'avais anéanti nombre de gen-
darmes en jouant aux voleurs, et mis à mort nombre de bataillons lorsque je jouais aux soldats.

— Que l'ogre ose seulement montrer son doigt, dis-je, et je
lui décharge mon fusil en pleine poitrine. Il tombe, je lui mets
le pied sur la gorge et...

Jules fait aussitôt tournoyer son sabre avec le geste d'un
homme qui coupe une tête, nous redevenions d'accord : il
commençait à croire à mon ogre, et voilà que j'y croyais moi-
même.

Un souffle de vent passe, il agite les rameaux d'une cléma-
tite qui couvre une tonnelle.

— L'ogre! crie Léontine.

J'épaule mon fusil, le chien s'abat, les feuilles frémissent,
murmurent, puis reprennent leur immobilité.

— Si par hasard tu l'avais tué! dit ma sœur.

Je me redressai; l'idée d'avoir tué un ogre, même par hasard,
me coupa la respiration.

Jules, audacieux, pénètre sous la tonnelle.

— Est-il mort? demandai-je avec anxiété.

— Il n'y a pas d'ogres, dit Jules en reparaissant, tu n'as donc
rien tué du tout.

Ce Jules, il devenait agaçant avec son sang-froid, sa bravoure et son incrédulité.

— Tu ne peux pas savoir si je l'ai tué ou non, lui dis-je avec humeur, ne voulant pas renoncer à la gloire d'avoir tué un ogre, même par hasard; d'abord, tous les ogres savent se rendre invisibles.

— Ils ne le peuvent plus quand ils sont morts, répliqua Jules.

Je baissai la tête, ne trouvant rien à répondre à ce formidable argument.

Nous passâmes près de la pompe, Jules s'arrêta. Cette pompe, elle nous attirait toujours, mais il était défendu d'y toucher. Jules se déclara atteint d'une soif ardente, et me pria de pomper un coup, un seul. Je refusai; j'en voulais à la pompe qui, quelques jours auparavant, m'avait valu un dîner au pain sec.

— C'est parce que tu n'es pas assez fort pour la faire marcher, me dit Jules, qui, pourtant, ne devait pas avoir lu Machiavel.

Je m'élance, je saisis le battant.

— Tu mangeras ce soir du pain dur, me dit la sage Léontine.

Je lâche le battant et je réponds à ma sœur :

— Cherchons l'ogre.

Jules nous abandonne ; il tourne autour de la pompe, tâte le tuyau, le bouche avec sa main, soulève un peu le bras de fer, recueille les gouttes d'eau qui suintent. Elle le fascinait toujours, cette pompe ; il n'y en avait pas dans sa maison.

Pendant ce temps, j'explore, avec la sage Léontine, les coins les plus dangereux du jardin, c'est-à-dire les plus isolés. Je soulève les pierres, je regarde sous les feuilles, je fouille les trous de grillons, cavernes où logent peut-être les ogres. Notre exploration nous amène devant la porte d'une pièce qui servait de fruitier, porte que je vois entre-bâillée. L'ogre, sachant que nous le cherchions dans le jardin, s'était peut-être réfugié là. Léontine propose d'appeler Jules. Non, il va encore dire qu'il n'y a pas d'ogres, et je me sens assez de courage pour en tuer un à moi seul. D'ailleurs, Jules est occupé à fourrer de la terre dans le tuyau de la pompe, il ne viendrait pas. Je me dirige vers la porte, avançant, reculant, m'arrêtant, pour avancer ou reculer de nouveau, ou pour écouter. Par instants, il me semble entendre ronfler, et Léontine entend le même bruit qui se reproduit à intervalles. Un trait de lumière m'explique ce phénomène effrayant : c'est Jules qui, ayant cédé à la tentation, essaye la pompe tout doucement. Hum ! gare à lui !

Je m'approche de la porte, rien ne bouge. Encouragé, je franchis le seuil. Léontine est derrière moi. Bientôt nous admirons, non pas un ogre, mais des planches garnies de poires, de pommes, de nèfles. En outre, sur une petite table se dresse, posé sur un grand plat rond orné d'un papier découpé comme une dentelle, un magnifique gâteau à l'odeur appétissante.

Ce gâteau, que je vois encore, eût été digne de figurer sur la table d'un roi. Au lieu d'un simple couvercle, comme en ont les pâtés ordinaires, il est surmonté d'un dôme soutenu par quatre colonnes en sucre. Qui a pu l'apporter là? Sans doute un pâtissier, car, si la cuisinière sait fabriquer d'excellentes tartes, elle ne sait pas construire de châteaux. Nous admirons, à distance; puis nous nous approchons de cette merveille qui, le soir, apparaîtra sans doute à la fin du dîner. Il n'y avait pas d'ogres dans la chambre, c'était sûr, attendu que leur premier soin, — cette remarque judicieuse est faite par la sage Léontine, — eût été de dévorer ce splendide gâteau.

Nous voilà près de la table, contemplant avec amour le dôme scintillant de sucre, sur lequel le pâtissier, un véritable artiste, a dessiné des fleurs et des oiseaux. Nous regardons, dressés sur la pointe de nos pieds, et le bruit de la pompe, dont Jules accélère le mouvement, nous fait venir l'eau à la bouche. Sans nous être donné le mot, attirés par la même attraction, le doigt menu de Léontine et le mien se promènent, se rencontrent sur le fragile dôme, du côté où il y a beaucoup de sucre.

Du gâteau, nos doigts viennent à nos lèvres. O surprise! la merveille du pâtissier est si bien réussie, si bien cuite à point, que nos doigts, rien qu'en l'effleurant, ont acquis une saveur délicieuse. Nous continuons notre manége, mais avec quelle délicatesse! On aurait pu caresser ainsi le gâteau pendant un mois sans qu'il y parût! J'ignorais alors, et Léontine l'ignorait aussi, qu'une goutte d'eau, tombant sans cesse au même endroit, finit par creuser la pierre la plus dure, et que l'un des plus curieux exemples de ce que produit à la longue un frottement continu, si léger qu'il soit, est une colossale statue de bronze placée dans l'église Saint-Pierre de Rome, dont l'orteil a été complétement usé par les baisers des fidèles. Le magnifique gâteau était loin d'avoir la dureté du bronze, et tout à coup, sans qu'il nous soit possible d'expliquer la cause de cette catastrophe, le dôme s'écroule.

L'apparition d'un ogre, aussi affreux qu'on veuille l'imaginer, ne nous aurait pas causé, à ma sœur et à moi, plus d'épouvante que ce désastre inattendu.

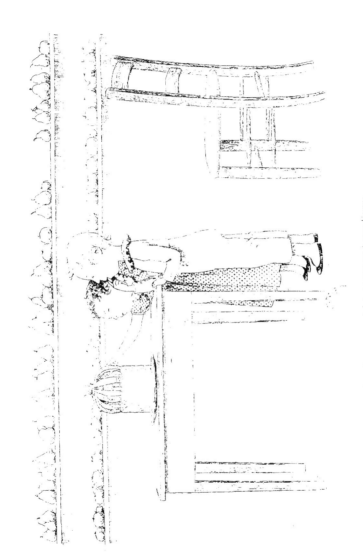

Du gâteau, nos doigts viennent à nos lèvres.

— Ce n'est pas moi, dis-je.

— Ni moi, répliqua Léontine.

— Je n'y touchais pas quand c'est arrivé, dis-je.

Et moi, je venais de retirer mon doigt, riposta Léontine.

Nous reprenons ensemble avec conviction :

— Il s'est cassé tout seul.

Nous respirâmes. Oui, c'était bien cela : le dôme, fatigué sans doute de se tenir en l'air, avait jugé à propos de se laisser choir. Qui ne le sait par expérience? les choses, surtout en présence des enfants, ont des caprices inexplicables. Elles se décrochent, se brisent, se renversent toutes seules, dans l'unique but de leur jouer de mauvais tours.

Donc, le dôme du gâteau avait croulé tout seul, ébranlé sans doute par le bruit de la pompe, dont Jules, nous l'entendons, comprime l'eau pour la faire jaillir plus loin. Nos doigts, qui le caressaient si doucement, ce fragile dôme, l'eussent retenu plutôt que de l'ébranler, c'est l'opinion de la sage Léontine. Le premier moment de stupeur passé, cet accident amène une découverte : l'intérieur du gâteau est rempli de crème, d'une crème fine, blanche comme de la neige : on dirait que c'en est.

— De la crème à l'amande, s'écrie Léontine qui vient de se sacrifier pour y goûter.

— Ce doit être, répondis-je avec autorité, bien que jugeant sur l'apparence, de la crème à la vanille.

Léontine goûta de nouveau.

— A l'amande, répéta-t-elle; goûte toi-même.

Je goûtai, et je lui donnai raison.

— Ces petits morceaux ne servent plus à rien, reprit ma sœur, qui désigna les débris du dôme.

— A rien du tout, répétai-je en les rassemblant en tas.

— On dirait, reprit Léontine, qu'ils sont aussi à l'amande.

— Non!

— Si!

— Goûtons.

Nous goûtâmes. Ils étaient à l'amande, et bientôt il n'en resta plus trace; non, si un troisième expert se fût présenté, on n'aurait pu lui en soumettre le moindre échantillon.

Nous contemplâmes longuement la base du gâteau, avec le vague espoir, je suppose, de la voir se briser à son tour; mais la croûte, épaisse et solide, ne ressemblait guère à celle du dôme, mes doigts et ceux de Léontine pouvaient le certifier. En ce moment, Jules, qui a perdu toute mesure, fait marcher la pompe au pas gymnastique. Le béta! on va l'entendre et accourir. Suspendant nos expériences, nous nous précipitons dehors pour l'aviser; j'oublie, dans ma hâte, de reprendre mon fusil posé près du gâteau.

Quel spectacle! En proie à une folle ardeur, Jules ne se connaît plus. Mis en branle par ses mains crispées, le bras de la pompe, comme pris de vertige, monte, s'abaisse, se heurte à

6

grand bruit contre le fer qui lui sert d'arrêt. L'eau ruisselle dans tous les sens; elle jaillit à droite, à gauche, en arrière, en avant. Jules, trempé comme une éponge qui sort d'un baquet, ne paraît pas en avoir conscience. Un fleuve coule sur son pantalon, une rivière s'échappe de chacune de ses manches, des sources jaillissent de ses souliers, et il pompe toujours. Le bras de fer, surmené, crie, grince, gémit, Jules n'entend rien, ne sent rien. Je veux l'arrêter, le contenir, il me repousse avec colère, croyant que je veux prendre sa place. Il m'éclabousse, je m'éloigne, et il pompe jusqu'au moment où ma mère apparaît. A cette vue, Jules, qui, je l'ai su plus tard, voulait renouveler le déluge, renonce à son entreprise. Interdit, essoufflé, écarlate, les yeux hors de la tête, il ressemble à un noyé.

— Ah! le petit malheureux! s'écrie ma mère. Elle jette en même temps un regard vers moi, et paraît à la fois surprise et satisfaite de me voir sec. Elle ne demande pas d'explication, les faits parlent d'eux-mêmes, avec éloquence. Elle emmène Jules, qui halète, afin de le changer; Léontine et moi faisons cortége, pour assister à l'opération. De temps à autre, mon regard se croise avec celui de ma sœur, puis nous baissons les yeux avec embarras; le souvenir du gâteau nous gêne.

Jules, changé des pieds à la tête, s'est excusé très-gentiment, il a conquis son pardon. Il revient près de nous, paré de mes habits du dimanche, ce qui ne me plaît qu'à demi, et il nous traite de lâches parce que nous n'avons pas pompé avec lui. Nos craintes, nos remords, nous mettent au-dessus de ces injures. Néanmoins, si le gâteau ne m'étouffait pas, il verrait si je suis un lâche.

On vient appeler ma mère, qui s'éloigne et tarde beaucoup à revenir. Oh! ce gâteau, comme il nous pèse sur l'estomac! Jules nous parle, nous interroge, il ne comprend rien à notre air contrit. Ma mère reparaît, elle tient mon fusil; la sage Léontine se met à pleurer, je m'empresse de l'imiter. Jules, qui comprend de moins en moins, fait machinalement le geste de pomper.

— Je ne veux pas vous gronder aujourd'hui, dit ma mère, cependant, voyons, comment avez-vous osé...

J'entame une explication: je nomme les ogres, et ma mère croit que je les accuse.

— Mais il n'y a pas d'ogres, me dit-elle, pourquoi ajouter à ta faute en la couvrant d'un mensonge?

Je m'explique; je parle avec le ton navré, repenti, qui a si bien réussi à Jules, et ma mère se laisse convaincre. Elle devrait tout raconter à mon père, elle se taira pour ne pas

6.

l'affliger. Peu à peu, grâce à des promesses solennelles, sin-
cères, je conquiers mon pardon et celui de ma sœur.

— Vous avez donc mangé un gâteau? nous demande Jules
lorsque nous le rejoignons.

— Oui, et c'est de ta faute.

— De ma faute?

— Si tu avais voulu chercher l'ogre...

— Mais il n'y a pas d'ogres, ta maman vient de le dire.

— Il y en a, répondis-je à l'incrédule qui nous avait traités
de lâches, en le regardant de travers et en faisant claquer mes
dents; demande au gâteau!

Jules eut peur et se tut. Lorsque sa mère, moins indul-
gente que la mienne, connut toute cette histoire, elle m'accusa
d'avoir, par mes perfides conseils, poussé son fils à pomper, et
ne l'envoya pas le jeudi suivant. Je regrettai l'ami, mais je
regrettai plus encore le général sur lequel j'avais remporté tant
de victoires, sur lequel j'en aurais remporté nombre d'autres,
s'il eût eu la sagesse de ne pas pomper.

Si depuis les coups de férule qu'il m'avait administrés, ma mère et Rose tenaient M. Delalot pour un homme dénaturé, mon père, plus équitable, était d'un avis opposé. Il trouvait le bon maître d'école trop indulgent, se plaignait de mes faibles progrès, et ma conduite générale, trop dissipée, le préoccupait. J'allais atteindre ma septième année, et, selon son expression, j'avais besoin d'être tenu en bride. Je fis donc, un samedi, mes adieux à l'école Delalot, et Rose, à son corps défendant, eut à me conduire le lundi suivant à la pension F..., un établissement sérieux, duquel, avec une application soutenue, à ce qu'affirmait mon père, on pouvait sortir bachelier.

Certes, la pension F... n'était pas la première venue; mais elle ne m'a jamais fait oublier l'humble école où je fis mes débuts dans le métier d'élève. Cette école, ma pensée me ramène souvent au temps heureux où je la fréquentais. A dire vrai, les heures que j'y ai passées n'ont été qu'une longue

récréation, et ces heures, avec quelle déplorable insouciance
du savoir je les ai dépensées! Chère humble école, je revois
son étroite allée, ses vitres poussiéreuses, ses bancs sordides,
son parquet constellé de taches d'encre. Je me revois moi-
même, petit écolier, sans autre souci que celui de m'amuser.
Et que fallait-il pour m'amuser? Une morceau de papier blanc,
une araignée, une mouche. Oh! les mouches! quelle consom-
mation on en faisait chez M. Delalot! je ne puis comprendre
comment il en reste encore.

Mon entrée dans la pension F... me valut, à quelques va-
riantes près, les mêmes tribulations de bienvenue que mon
entrée chez M. Delalot. Seulement, dès la première journée,
je compris que j'aurais moins de loisirs. Mon ardoise fut rem-
placée par des cahiers de papier blanc, et mon fameux alphabet
par de vrais livres. Il y en avait un pour le professeur de gram-
maire, un pour le professeur d'arithmétique, etc., etc., car
M. F..., moins savant que M. Delalot, à mon avis d'alors,
ne se chargeait pas de tout enseigner lui-même.

Dois-je l'avouer? mon père, en me changeant de milieu,
n'obtint d'abord qu'une moitié du résultat qu'il avait espéré.
Sage à mon banc, je devins plus turbulent que jamais au logis.
C'est qu'astreint à l'étude pendant plusieurs heures, le moment

de la récréation n'était pas suffisant pour la dépense de mon activité physique. J'obtenais des bons points en classe ; mais, à la maison, il me venait des idées diaboliques qui déconcertaient jusqu'à la pauvre Rose ; exemple :

Étais-je né mécanicien ? Je ne le crois pas, n'ayant jamais eu la moindre disposition pour les mathématiques, la branche des connaissances humaines qui m'a coûté le plus de larmes chez M. F... et ailleurs. Ah ! les chiffres ! que de punitions je leur dois ! et cependant j'apportais à la logique de mes calculs toute l'application désirable. Par malheur, de quelque façon que je m'y prisse, je trouvais constamment la fraction plus grande que l'entier. Je me souviens d'une division qui, après une heure de travail assidu, me donna un résultat stupéfiant.

« Une omelette confectionnée à l'aide de cent trente-cinq œufs, avait dicté le professeur, sert au déjeuner de vingt-sept personnes : je désire connaître le nombre des œufs mangés par chaque convive. »

Je me mis à l'œuvre, afin de satisfaire la curiosité du professeur, et j'obtins le surprenant total de cinq cent cinquante-trois œufs. Je n'en revenais pas. Mais les chiffres parlaient, et l'on prétendait, alors comme aujourd'hui, que les chiffres ne peuvent mentir. Les miens, à ce qu'il paraît, étaient des faux chiffres, car ma division, vingt fois recommencée, me donnait toujours le même résultat... à quelques œufs près.

Je venais de dépasser ma septième année, et, avec l'ingénuité propre à cet âge, j'énonçai en pleine classe mon curieux quotient. Un éclat de rire général retentit, — on ne peut guère attendre mieux de la bienveillance de ses condisciples. Le professeur, ô justice! me condamna aussitôt à deux heures de retenue, pour avoir, en pleine classe, provoqué l'hilarité de mes camarades. En outre, il déclara publiquement que j'étais un niais ou un mauvais plaisant, au choix. Eh bien, je n'étais ni l'un ni l'autre; la vérité, c'est que je ne savais pas compter.

Le dimanche qui suivit ma retenue, je me trouvais assis près de ma mère, retravaillant ma fameuse division, tout en suivant du regard les gestes de mon père, qui rangeait le contenu de l'un des tiroirs de son bureau.

— Tiens! dit-il tout à coup, ma vieille montre! Il faudra la donner à réparer; elle servira à Lucien le jour de sa première communion.

Je tressaillis et ne vis plus les chiffres que j'alignais.

— Elle ne marche donc plus? demanda ma mère.

— Non, depuis la fameuse chute qu'elle a faite... tu te souviens?

Mon père et ma mère sourirent à la réminiscence de quelque histoire plaisante; mais au moment où j'allais en apprendre plus long, on vint les appeler : madame Larpenteur et sa fille

étaient au salon. Ils sortirent, emmenant ma sœur, et je restai seul, en tête-à-tête avec ma division.

J'abandonnai mes chiffres aussitôt que la porte se fut refermée, puis je m'approchai du bureau avec respect. Ah! la bonne grosse montre! Elle reposait sur le dos, et, sous son verre bombé, j'apercevais son cadran d'émail, ses chiffres noirs. Des chiffres! ce n'était pas là ce qui me séduisait. Les deux aiguilles

formaient un angle aigu; l'une d'elles, la petite, marquait midi
— ou minuit, pensai-je. Mon père s'y connaissait, la montre
ne marchait pas. C'est curieux, une montre qui ne marche pas
et qui marque midi quand il est trois heures. Après tout, elle
marche peut-être, *ma montre;* mon père l'a très-peu regardée
en la retrouvant, et il y a si longtemps qu'il ne l'avait vue!

Je tente de poser mon oreille sur le cadran; la montre est
trop loin de moi, et je n'ose la prendre. Voyons, j'en ai le droit,
personne ne m'a défendu d'y toucher.

Je la saisis doucement, délicatement, et je l'approche de mon
oreille. Je crois entendre un tic tac... je ne me trompe pas, mais
c'est mon cœur qui bat, joyeux, sans doute, de voir que je
touche à *ma montre.*

J'avais déjà vu le dedans de plus d'une montre, sans avoir jamais eu, toutefois, le loisir d'étudier le mécanisme qui les anime :
on les refermait toujours au moment où j'allais comprendre.

— Cette fois, pensai-je, voilà une belle occasion : tâchons
d'en profiter.

Je pose la montre sur le bureau, puis, assourdissant mes
pas, je me dirige vers le salon. Madame Larpenteur raconte
une histoire, sa fille joue avec Léontine, j'ai le temps de me
livrer à l'examen que je projette. Je reviens sur mes pas, je

ferme une porte de plus; de cette façon, le chat lui-même ne
pourra me surprendre. Et le professeur de mathématiques qui
me croyait bête!...

Je m'empare de nouveau de la montre, et je la secoue un
peu, pas trop fort. Vous me croirez si vous voulez, mais elle
marcha. Je m'aperçus qu'en accélérant les secousses, les aiguilles cheminaient plus vite, et je leur fis parcourir un rude
chemin. Je me lassai de cet exercice, qui me parut monotone
à la longue. Je tentai alors d'ouvrir la boîte et ne réussis qu'à
me casser un ongle. J'insiste : paf! la montre reçoit un petit
choc qui fêle le verre. Je me hâte de poser la blessée sur le
ventre, et je vais m'établir près de la fenêtre pour aligner des
chiffres, en proie à une certaine émotion.

Eh bien, sans cette expérience, je n'aurais jamais cru que ce
fût si fragile, un verre de montre! On le cogne à peine, pif!
c'est fait. Si l'on se servait de verres grossissants, qui sont épais,
ça vaudrait bien mieux; d'abord, on verrait l'heure plus facilement, puis on pourrait y toucher sans que ça casse.

Les chiffres ne me captivant pas, je me dirigeai de nouveau
vers le salon.

— Mon mari doit venir me prendre dans une heure, disait
madame Larpenteur; si je ne vous ennuie pas, je l'attendrai.

— Oh! chère madame, répondirent à la fois mon père et ma mère, nous serons charmés, au contraire, de...

Je revins en arrière, satisfait de ce que je venais d'entendre : j'avais une heure devant moi. Je tentai de nouveau d'ouvrir ma montre; j'y perdis encore un fragment d'ongle, mais le couvercle sauta au moment où je m'y attendais le moins. Je demeurai interdit; au lieu des roues que je croyais voir, j'aperçus deux trous entourés de lettres : *échappement à cylindre, trous en rubis,* disaient les lettres. Trous en rubis! moi qui croyais les trous en rien du tout! Du reste, j'allais savoir à quoi m'en tenir, le second couvercle venait de s'ouvrir, presque sans effort de sa part.

Comme c'est drôle, le dedans d'une montre! Une, deux, trois, six roues, sans compter celles qui sont cachées. Ah! si elles marchaient! ce serait bien plus drôle. En poussant là, puis là... Non. Je cherche à découvrir le cylindre, l'échappement, les trous, sans réussir. Tiens, le grand ressort! Je le trouve bien petit, le grand ressort. Hier, après avoir lu son journal, mon père a raconté l'histoire d'un galérien qui a scié ses fers avec un ressort de montre. Comment donc a-t-il pu s'y prendre?

Tout à coup, il me vient une idée lumineuse. C'est peut-être à cause du grand ressort que la montre ne veut pas marcher.

Si son grand ressort la gênait? Dame! lorsque l'on a un caillou dans ses brodequins, on boite. Que serait-ce si l'on avait un grand ressort? J'ai presque envie de le retirer; il ne sera pas perdu, il me servira à scier un clou.

J'ai toujours eu le défaut ou la qualité, selon le cas, de mettre sur l'heure à exécution mes projets. A l'aide d'un canif trouvé sur le bureau, j'entreprends de soulager la montre de son grand ressort. Je réussis beaucoup mieux que dans mes calculs : je deviens même possesseur d'une roue que je ne songeais pas à retirer. J'essaye alors de remonter la montre; la clef tourne, il y a donc amélioration. C'est égal, ils sont joliment adroits, les horlogers, pour réussir à visser tous ces petits clous que la pointe de mon canif peut à peine saisir! Quand je serai grand, je me ferai horloger, pour avoir beaucoup de grands ressorts.

En attendant, voici une roue qui sera bien utile à mon ami Jules. Lui qui construit sans cesse des voitures en carton, serat-il content, ce pauvre Jules! Oui, mais il lui faudrait deux roues. Par bonheur, j'en vois d'autres dans ma montre : qu'est-ce que ça lui fait, à elle, une roue de plus ou de moins?

C'est ennuyeux comme tout à dévisser, ces machines-là. Sont-ils bêtes, les horlogers! Leurs roues ne sont pas pareilles. Je comprends pourquoi la montre ne marchait pas.

Ah! le canif vient de se casser, et mon père qui l'avait apporté d'Angleterre, le croyant bon! Elle est dure à enlever, cette roue-là. Je crois qu'il vaut mieux la laisser; j'abîmerais peut-être la montre, si je lui ôtais une nouvelle roue.

Du bruit! c'est madame Larpenteur qui se retire. Que disait-elle donc? qu'elle devait rester une heure. C'est à peine si j'ai eu le temps de toucher à la montre. On va venir! comment la poser, cette montre? sur le ventre, ce n'est guère naturel; sur le dos? mon père verra du premier coup que le verre est fêlé.

Je ne sais pas ce qu'il a dans les yeux, mon père, mais il voit tout. Et ce canif... On entre, j'ai la tête basse, une légère sueur me coule le long du dos, — j'aurais mieux fait de ne pas toucher à la montre.

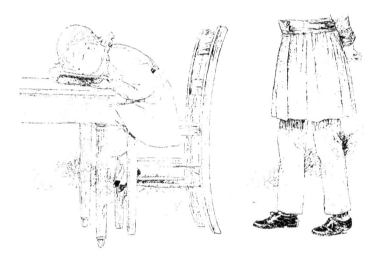

Oui, décidément, il eût mieux valu n'y pas toucher. Mon père s'approche de moi, et le verre cassé me frôle le nez. Je voudrais parler, expliquer, m'excuser; je n'ose pas. Ma rougeur m'accuse, j'ai une terrible envie de pleurer.

Mon père me tient par l'oreille.

— Tu ne te désaccoutumeras donc jamais de toucher à tout?
me dit-il sans colère.

Ses doigts pincent mon oreille un peu fort, mais je ne songe
pas à me plaindre, je sais trop bien que je suis coupable. Dès
qu'il aura remis la montre dans le tiroir de son bureau, j'irai
prendre un peu l'air, car il me semble qu'il fait trop chaud dans

son cabinet. Je disais bien qu'il voit tout, mon père; il aperçoit le canif et se hâte d'ouvrir la montre. Je suis à ses genoux.

Il paraît que je me suis grossièrement trompé, que la montre avait besoin de ses roues, que son grand ressort ne la gênait pas. Puis c'était la montre de mon aïeul, un bijou de famille. Je suis châtié, et ni ma mère, ni Rose, ni Léontine n'osent intercéder pour moi. Je reconnais l'énormité de ma faute, que mes regrets ne peuvent réparer, — il est plus facile d'enlever un grand ressort que de le remettre en place.

Mon père me conduit dans ma chambre, me fait servir un morceau de pain et un verre d'eau. En outre, il place devant moi un gros livre, une encyclopédie, avec l'ordre de copier trois fois, d'une façon lisible, un article en tête duquel le mot *montre* se détache en grosses lettres. Le soir, grave et triste, il vint suspendre au chevet de mon lit la pauvre estropiée.

Que ceux qui veulent dormir tranquilles ne m'imitent jamais!

CHAPITRE IV

Mon père, pas plus que celui de Jules, n'aimait que l'on m'entretînt des ogres, des lutins, des fées ou des enchanteurs. Il ne voulait pas, disait-il, me voir de fausses idées sur l'univers, sur les lois immuables qui le régissent, et ces lois, il ne perdait aucune occasion de me les faire connaître. Tant qu'il me parlait, ma raison acceptait ses démonstrations; mais, une fois livré à moi-même, mon imagination reprenait sa pente naturelle, comme toutes les imaginations. C'était l'âge, l'expérience, l'étude qui devaient me convaincre qu'il n'y a ni ondines, ni revenants, ni sorciers, que les récits dont me berçait Rose, en dépit des défenses les plus formelles, étaient, hélas! de pures inventions.

Mon père, lorsqu'il essayait de me rendre positif avant l'heure, perdait donc un peu son temps. Le monde surnaturel, qu'il s'efforçait de bannir de mon esprit, mes sept ou huit ans l'eussent inventé, s'il ne l'eût déjà été. Je rêvais d'être fort, pour dompter et châtier les méchants. Gêné par mon corps, je rêvais de pouvoir le transporter avec la même aisance que ma pensée. Avec quelle ardeur j'ai souhaité de pouvoir me rendre invisible, de posséder des ailes assez puissantes pour m'élever jusqu'à la lune, afin de voir un peu ce qu'il y avait dessus! Mon père me prêchait en vain le réel, je créais des chimères pour remplacer celles qu'il détruisait. C'est que les enfants, en général, n'aiment guère la réalité; ils la trouvent laide, sèche, brutale, désolante; on aura beau faire, s'ils se laissent un instant amuser par le terre-à-terre de Sancho, ils sautent vite en croupe de don Quichotte. Mais que d'hommes sur ce point, et je suis du nombre, restent toujours enfants!

A la pension F..., on me confia un traité de mythologie, étude alors indispensable pour la compréhension des poètes, et je sus vite par cœur le petit volume. L'histoire de ces dieux grecs, si aimables, si humains, avec leurs aventures que je ne comprenais qu'à demi, et surtout leurs merveilleuses métamorphoses, me parut des plus raisonnables. Je crus non-seulement qu'ils avaient existé, mais qu'ils régissaient encore notre terre, et, les jours d'orage, ce fut bel et bien Jupiter qui pour moi tonna. Mon père s'aperçut vite que je devenais païen, il démolit aussitôt l'Olympe et en chassa les dieux par la moquerie, cette arme puissante. Je remis paisiblement le tout en place, et le vent resta pour moi Borée, l'arc-en-ciel Iris, Neptune le maitre des eaux.

C'est que, sans qu'il y prît garde, tout conspirait autour de moi pour combattre les assertions de mon père. Le grand parc de ma ville natale, parc que je connaissais si bien, ne me présentait-il pas, jusque dans ses bosquets, l'image des dieux proscrits? Est-ce que Neptune, Latone, Apollon, Mars, Vénus, n'avaient pas, de même que Louis XIV et ce Hoche, dont on me racontait souvent l'histoire pour exciter mon émulation, leurs statues de bronze ou de marbre? Si, pour moi, ce qui était écrit représentait la vérité, ce qui était peint, gravé ou sculpté, la représentait encore davantage. Hélas! combien j'ai changé!

Ma mère, pour combattre mon paganisme, sut s'y prendre

mieux que mon père. Elle me raisonna à sa manière douce,
persuasive, convaincante. Elle me dit que Jupiter, Mars, Neptune étaient morts depuis longtemps, tués par les fées et les
enchanteurs, lesquels, à leur tour, avaient été détrônés, chassés
du ciel par les anges et les saints, dont la supériorité consistait
à ne faire des miracles que dans l'intérêt du bien. Ce langage,
je le compris; il parlait à mon cœur, d'abord, puis il laissait
quelque chose d'aérien autour de moi. De même que tous les
hommes, que toutes les femmes surtout, derrière Caliban je
voulais voir Ariel, je le veux encore.

L'idée de mon père est devenue mode, on ne permet plus
guère que les enfants entendent parler de fées, on met la science
partout et dans tout. On perd sa peine, l'imagination est une
insoumise, elle ira toujours plus loin, plus haut que la science,
si grande magicienne que soit celle-ci. Au sortir des leçons de
mon père sur le néant du monde imaginaire, j'allais trouver
Léontine et je lui proposais de jouer au roi et à la reine. Si elle
acceptait, je me plaçais sur la poitrine une décoration de fer-
blanc ou en papier, et je me voyais aussitôt couvert d'une
armure d'or; ma sœur se parait d'un ruban, se redressait, et
instantanément elle se voyait et je la voyais vêtue d'une robe
de brocart. Ces subites transformations étaient pour nous si

réelles que, huit jours plus tard, lorsqu'elle s'habillait pour aller rendre une visite, il arrivait à Léontine de me dire :

— Ah! si j'avais ma robe de l'autre jour, comme on m'admirerait!

Et j'étais de son avis. Cette robe, nous l'avions réellement vue, et cela d'une façon si certaine, qu'aujourd'hui, après tant d'années écoulées, je pourrais décrire ce vêtement, qui n'a jamais existé. Du reste, que dire des grandes personnes qui reviennent du théâtre les yeux rouges à force d'avoir pleuré sur les malheurs imaginaires d'un acteur, qui n'a rien de commun avec le personnage qu'il a représenté? Les enfants ont une excuse, ils sont acteurs eux-mêmes. Mais les grandes personnes, elles, savent à quoi s'en tenir, et pourtant elles maudissent Caliban et pleurent sur Ariel, qui, honni, persécuté, crucifié, renaîtra toujours, l'idéal, chez l'homme, étant chose d'instinct.

La preuve, — en faut-il une? — c'est que nombre de ceux qui chassent les fées respectent les génies, le petit Noël, par exemple.

Qui de nous, en effet, même parmi les pécheurs aujourd'hui les plus endurcis, ne doit des actions de grâces au petit Noël, à cet aimable enfant qui, chaque année, venait généreusement

garnir les mignons souliers, déposés avec candeur à l'entrée
d'une cheminée, de friandises ou d'un objet longtemps désiré ?
Oh ! le bon, le cher petit Noël ! que de rêves dorés, que d'heures
délicieuses nous lui devons tous, et qui de nous, si prosaïque
qu'il soit devenu, l'oubliera jamais?

Pendant six ans, le petit Noël a été pour moi le petit Noël,
sans qu'il me vînt à l'esprit de m'enquérir de sa condition, de
sa famille, ni d'où venaient sa puissance et sa générosité. Toutefois, il me semblait devoir être cousin de ce petit Jésus que
l'on me faisait invoquer dans mes prières, mais je n'aurais su
dire à quel degré. Plus tard, alors qu'il ne m'apportait plus
rien, j'ai appris qu'il était Jésus en personne, et que son nom
était l'abréviation de celui d'Emmanuel, lequel signifie : *Dieu
avec nous*. J'appris encore que ce fut le pape saint Télesphore,
que l'on martyrisa à la fin du règne d'Adrien, qui institua la
fête de la Nativité, la fête du petit Noël.

Je ne me suis préoccupé de ces points historiques, je viens
de le dire, qu'après avoir dépassé l'âge de mettre mon soulier
dans la cheminée, l'âge de la vraie poésie. Avant cette époque,
peu m'importait ce que signifiait le nom du petit Noël, mais
j'aurais bien voulu le voir. Dans mon imagination, il se dessi-
nait comme un tout jeune enfant aux yeux bleus, à la chevelure

blonde et frisée, à la bouche souriante. Il était vêtu d'une peau de mouton, à l'instar du petit saint Jean-Baptiste ; seulement,

au lieu d'une croix, il portait un grand panier rempli de bonbons et de jouets. Deux choses me surprenaient beaucoup dans ses façons d'agir : la première, c'est qu'il pût descendre par le tuyau de la cheminée sans se transformer en ramoneur; la seconde, c'est qu'il m'apportait des joujoux que j'avais certainement vus dans une boutique voisine de notre maison. Le petit Noël achetait-il ces joujoux à la marchande? ou les lui prenait-il en descendant par sa cheminée? Ces idées commencèrent à me tracasser.

Mais comme il devinait bien mes désirs secrets, le cher petit Noël, et quelle joie, le matin de sa fête, d'apercevoir dans ma chaussure des jouets longtemps convoités! Une fois, il m'apporta un martinet; je lui en voulus pendant plusieurs semaines, tout en reconnaissant que j'avais mérité la leçon. Peu à peu ma rancune s'apaisa; je résolus d'étudier avec ardeur afin de me réconcilier avec le malicieux petit génie, de regagner son bon vouloir. Ma mère m'applaudit, m'encouragea, et bientôt elle m'affirma que si mon zèle ne se refroidissait pas, le petit Noël m'apporterait infailliblement un grand cheval à bascule que j'ambitionnais. M'apporter ce grand cheval qui possédait de si longues jambes, une vraie crinière et une vraie queue! j'hésitais à croire la chose possible. Quelle que fût sa générosité, j'avais peur que le petit Noël me trouvât trop gourmand. Cependant ma mère affirmait avec tant d'assurance que la chose arriverait, que je me convainquis qu'elle recevait les con-

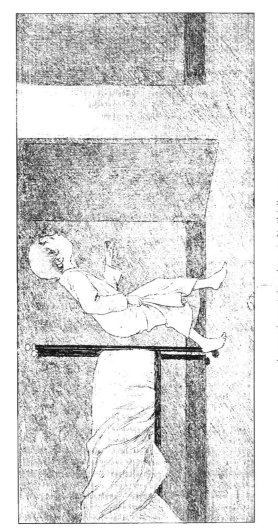

Je verrais peut-être le petit Noël à l'œuvre.

fidences du petit Noël, et je travaillai sérieusement les conjugaisons des verbes, qui me résistaient.

Le jour, ou plutôt la veille de la récompense venue, je ne tenais pas en place. Si fort qu'il fût, comment le petit Noël pourrait-il porter un cheval plus gros que lui? Comment, surtout, pourrait-il le faire passer par l'étroit conduit de la cheminée, dont j'avais mesuré de l'œil les dimensions? Ces impossibilités me causaient d'affreuses transes, et j'allai me coucher sans avoir la moindre envie de dormir. Une nouvelle inquiétude vint se joindre aux autres : comment le cheval pourrait-il tenir dans mon soulier? Ce fut bientôt là ma préoccupation la plus vive; plus éveillé qu'à midi, j'admirai ma sœur et Rose qui dormaient paisibles à une pareille heure, et que j'eusse bien voulu imiter.

Je savais que le petit Noël arrivait dans les cheminées à minuit; or, grâce à la pendule qui ornait ma chambre et qu'éclairait une veilleuse, je suivais avec anxiété la marche des aiguilles. Le mauvais esprit, le diable, pour lui donner son nom, me souffla une suite de mauvaises pensées, celle de me lever sans bruit, de me rendre dans la chambre de ma mère où mon soulier était déposé, puis d'épier. Je verrais peut-être le petit Noël à l'œuvre, je pourrais le remercier s'il apportait le cheval, lui

faire, du même coup, ma commande pour l'année prochaine.
Penser et exécuter, on le sait, rentraient dans mes façons d'agir;
me voilà donc en route, le cœur battant.

Je marche doucement, lentement, un peu contre mon habitude. On parle dans la chambre de ma mère; serait-ce Noël?
Je retiens ma respiration, et je suis tenté de regagner mon lit.
C'est laid d'être curieux, je ne l'ignore pas. Si, pour me punir,
le petit Noël allait remporter le cheval que j'ai gagné, qu'il me
doit! La curiosité étouffe la voix de ma conscience, j'avance
pas à pas, mais j'avance. C'est mon père qui parle, et ma mère
rit tout haut. A quoi songent-ils? ils vont effrayer le petit Noël,
qui s'en ira. J'ai envie de pleurer.

Je refoule mes larmes, j'ai besoin de voir clair. Je suis près
de la porte; elle est ouverte. Ma mère s'assure que le feu de la
cheminée est éteint, et mon père place devant l'âtre un magnifique cheval dont les oreilles se tiennent si droites, dont la
queue est si longue, qu'il me semble être de grandeur naturelle.
Ma mère coiffe de mon soulier l'immobile Bucéphale, qui se
met aussitôt en route, je veux dire en branle.

Mon père continue à causer tout haut. Il parle de ma surprise, de ma joie, de ma crédulité, puis de la marchande qui
voulait quinze francs pour son beau cheval, et qui s'est con-

tentée d'en recevoir douze. Chacune des phrases qui arrivent à mes oreilles m'enlève une illusion, éclaire les ténèbres de mon esprit, me fait redescendre du ciel sur la terre. Je regagne mon lit à la hâte, je m'enfouis sous mes couvertures. Je suis assuré d'avoir le grand cheval, et néanmoins j'ai le cœur gros. Je sais où il a été acheté, combien il a coûté; je sais la vérité sur le petit Noël, dont les mères ont inventé les pérégrinations nocturnes du 25 décembre. Je pleure de savoir que le cher petit ne vit pas, et je pleurerais bien davantage si je me doutais que ma curiosité vient de tuer une poule aux œufs d'or.

Le lendemain, dans l'effusion de mon bonheur, j'embrassai fort, très-fort ma mère. Touchée et ravie, elle me vanta, avec un désintéressement sublime, la suprême bonté du petit Noël, qui avait oublié mes nombreuses fautes pour ne se souvenir que de mon application et m'en récompenser. Je ne pus alors me défendre de l'embrasser de nouveau en lui disant :

— Mais Noël, c'est toi.

Ma mère fit un brusque mouvement, me regarda avec stupéfaction, essaya de protester, puis m'interrogea avec curiosité. Peu à peu je lui avouai mon escapade.

— Tu as dû mal voir et plus mal entendre, me dit-elle; en tout cas, je te prie de ne raconter à personne ce que tu as certainement rêvé. Sois bien convaincu que tu dois ce beau cheval au petit Noël; sans l'occasion de sa fête, tu l'attendrais encore.

L'année suivante, lorsque la Nativité approcha, je parlai, non sans un véritable embarras, de placer mon soulier dans la cheminée.

— Tu es trop grand, trop raisonnable à présent pour un pareil enfantillage, me dit ma mère, puisque tu sais qui est Noël; seulement, ne le révèle pas à ta sœur, ce serait gâter son plaisir et la priver d'une récompense qu'elle a méritée.

J'étais si peu raisonnable, hélas! que je me mis à sangloter. J'avais sottement substitué le réel à l'idéal, fait envoler une de mes illusions, c'est-à-dire un de mes bonheurs. N'est-ce pas la chose à laquelle, petits ou grands, nous travaillons le mieux?

Mon père avait un goût prononcé pour les livres, et la muti-
lation des Voyages en Afrique de Levaillant, auxquels il tenait
beaucoup, l'avait à la fois révolté et désolé. Pendant plusieurs
années, il tint ce méfait pour le plus répréhensible de ceux qu'il
m'arriva de commettre, et m'en garda une véritable rancune.
Il me le rappelait à tout propos, et jamais avec sang-froid.
Aussi, non content de m'avoir mis à l'école et de me qualifier
à l'occasion de Vandale, mot qui me mortifiait d'autant plus
que j'en ignorais la valeur, il avait voulu, pour m'enlever toute
idée de récidive, que les volumes que j'avais estropiés fussent
placés dans ma chambre, sur une tablette suspendue en face
de mon lit. Le châtiment n'était pas mal choisi, car la vue de
ces bouquins, — qui devaient avoir une si grande influence sur
ma vie, — me troubla longtemps. Ils me rappelaient la seconde
correction corporelle que l'on m'avait administrée, et je ne les
regardais pas sans amertume.

8

Lorsque, grace à la férule et aux leçons de M. Delalot, je
fus en état de voir autre chose dans les livres que les gravures
qui les ornaient, c'est-à-dire lorsque je sus lire couramment, je
devins, comme tous les débutants, un lecteur enragé. Dans la
rue, je lisais les enseignes, les affiches, et, dans la maison, tous
les prospectus qui me tombaient sous la main. Je lisais à tort
et à travers, sans autre but que de mettre en œuvre le talent
que je venais d'acquérir. J'étais émerveillé de voir ces petits
signes noirs, dont l'étude m'avait paru si fastidieuse, prendre
vie par leur assemblage, parler alors avec une clarté supérieure
à celle des discours de Rose. Je n'en revenais pas, et, à vrai
dire, je n'en suis pas encore revenu. L'écriture,

> Cet art ingénieux
> De peindre la parole et de parler aux yeux,

comme l'a définie le poëte Brébeuf dans les seuls vers de lui
dont on se souvienne, est restée pour moi la merveille des
merveilles de l'intelligence humaine.

Mon enthousiasme pour la lecture me valut, à titre d'encouragement, le don d'un volume de Berquin. Une courte histoire
de ce livre, intitulée « Dieu voit tout », me mit martel en tête
en m'apprenant que le bon Dieu était sans cesse au courant
non-seulement de mes actions, mais de mes pensées. Quoi!

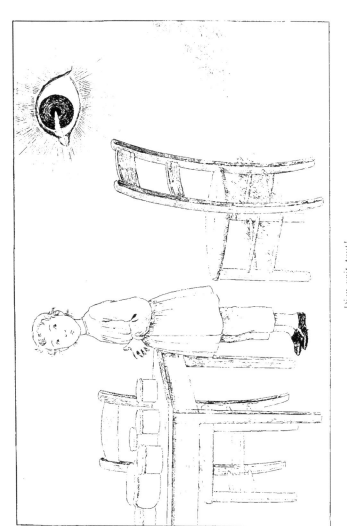

Dieu voit tout!

lorsque j'apercevais sur une table un pot de confitures, et que, me croyant seul, l'idée si naturelle d'y fourrer mon doigt, puis de le sucer, me venait, Dieu le savait aussitôt? Lorsque, renfermé par ordre supérieur dans ma chambre, avec la mission de repasser une leçon mal sue, j'employais une partie de mon temps à découper du papier ou à disséquer une mouche sans profit pour l'anatomie, Dieu me regardait? Cette découverte me gêna considérablement, et me retint sur le bord de plus d'un pot de confitures. Berquin, cela seul au besoin justifierait sa réputation, me mit sur mes gardes et m'empêcha de commettre nombre de délits. Qui donc oserait mal faire si, à l'heure d'agir, il se rappelait que Dieu le voit? Mais on n'y pense qu'après, ce fut souvent mon cas.

Dieu me voyait! or il est certain que je brûlais du désir de lui rendre la pareille. Lorsque je me préparais à toucher à ce qui ne m'appartenait pas, j'examinais avec un soin méticuleux les fenêtres et les trous de serrure, cherchant à découvrir l'œil de Dieu. Je ne pouvais admettre qu'il pût voir sans yeux, puisque je savais, par ma mère, que j'étais fait à son image. Seulement, la taille du bon Dieu devait être si démesurée que je souhaitais et redoutais à la fois de voir son œil. Ma mère, que j'instruisis de ma curiosité et de ma crainte, m'expliqua que l'œil de Dieu, c'était le ciel avec sa prunelle de feu, le soleil. Cette théologie ne me parut pas claire, et je multipliai mes questions. Pour y mettre fin, ma mère me déclara que, pour comprendre Dieu, il fallait être une grande personne. Je

suis devenu grand, les sublimes manifestations de Dieu m'écrasent, je suis plus que jamais convaincu qu'il voit tout; mais je ne le comprends toujours pas.

Une fois mon Berquin su par cœur, je me mis en quête de nouveaux livres, et je dévorai nombre de pages insignifiantes.

A court de vivres, je me tournai vers mon ancienne victime, Levaillant, et, sans consulter personne, j'entrepris la lecture de ses Voyages. Des horizons nouveaux s'ouvrirent brusquement devant moi, et j'appris enfin pour de bon que le monde ne tenait pas tout entier, ainsi que je me l'étais persuadé, entre les collines qui entourent Versailles. Les lointains pays décrits par le voyageur me fascinèrent. Les Hottentots, les Cafres, les Boschimen devinrent le sujet exclusif de mes conversations. J'entretins d'abord Léontine de mes découvertes en Afrique, puis Rose. A dater de cet instant, je renonçai au métier de brigand et à celui de général pour devenir un voyageur. C'est à Levaillant que je dois d'avoir été un explorateur; je ne lui en veux pas.

Mon père s'aperçut de mes nouvelles tendances, et comme les livres où je les puisais renfermaient des passages que, vu mon âge, je ne devais pas connaître, il se hâta de les replacer dans sa bibliothèque. Au fond, cette mesure me laissa indifférent; j'avais si bien appris déjà le métier d'explorateur, que j'étais absorbé par les soucis d'une première expédition. Léontine, que je voulais embarquer avec moi pour le cap de Bonne-Espérance, refusa net de me suivre, prévoyant des naufrages. Par bonheur, je trouvai dans la pension F... deux disciples

auxquels je communiquai mon enthousiasme. En moins de
huit jours, Dugué devenait un Cafre de premier ordre, et Damilonneville un Hottentot très-présentable. Nous étions équipés,
prêts à explorer; il ne s'agissait 'plus que d'aborder en Afrique.
Ce fut vite fait.

Le jeudi, un professeur nous conduisait dans le grand parc
de Louis XIV, et nous laissait courir librement autour du point
sur lequel il s'établissait. Un coin du beau jardin devint prompt-
tement pour nous le cap de Bonne-Espérance, et une longue
allée fut transformée en pays des Namaquois. Dieu, qui voit
tout et qui n'oublie rien, pourrait seul raconter aujourd'hui quel
nombre de girafes, d'hippopotames, de lions et de singes, imaginaires, bien entendu, j'ai mis à mort entre le bosquet de la
Reine et le grand Tapis vert. Levaillant n'était pas mort, il
s'était incarné en moi. Oh! le bon et heureux temps! que de
doux souvenirs il m'a laissés! que de cruels aussi!

Un jour, — jour néfaste, — il avait été réglé avec mes associés que nous ferions une excursion dans le pays des grands
Namaquois, et que je découvrirais une peuplade inconnue. La
peuplade, ce point était bien arrêté, devait avoir pour représentant Dugué, que je trouverais accroupi au fond d'une caverne
obscure, et que je dompterais après un combat acharné. Pen-

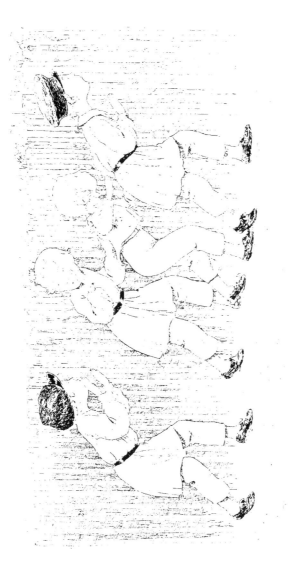

Nous nous glissons le long de la charmille.

dant cette lutte, Damilonneville, chargé de la garde du camp, devait être attaqué par une multitude de cannibales, et sauver les bagages par des prodiges d'héroïsme qui lui vaudraient la croix de la Légion d'honneur.

Tandis que nos camarades se livrent à des jeux divers, nous nous glissons le long de la charmille qui entoure le bosquet des Bains d'Apollon. En un clin d'œil, Dugué tord sa casquette, retourne sa veste, retrousse son pantalon, colle des feuilles d'arbre sur ses joues et mêle des herbes à ses cheveux. Il figure d'une façon si originale la peuplade inconnue que Damilonneville, séduit, déclare qu'il veut remplir ce rôle. Dugué résiste, se fâche. Je prends son parti, je discute, je raisonne, nous sommes prêts à en venir aux mains. J'élève la voix, je parle avec l'autorité d'un chef; mes compagnons m'écoutent, ils vont enfin se soumettre. Mais le gardien du camp s'allie soudain à la peuplade inconnue, et je suis accusé de toujours prendre les plus beaux rôles. C'est toujours moi, paraît-il, qui tue le plus de tigres, qui dompte le plus de sauvages. Je maintiens avec énergie les prérogatives que je me suis octroyées, et je déclare avec conviction que les hauts faits que l'on me reproche prouvent mon droit à la supériorité que je revendique. Je me vante; mes compagnons sont aussi énergiques et même plus forts que

moi, mais je suis probablement plus éloquent qu'eux, car ils
se calment, se rendent à mes raisons, et rentrent dans le devoir

en m'entendant déclarer que Gobert m'a demandé de faire
partie de ma troupe. Mes deux compagnons protestent aussitôt
de leur obéissance : *cedant arma togæ*.

La paix rétablie, nous longeons la charmille pour déterminer le lieu de campement, pour choisir le point d'attaque. J'aperçois un trou dans la muraille de verdure, j'avance la tête et, sachant que là où pénètre la tête le corps peut suivre, je passe vite de l'autre côté. Dugué me rejoint, puis voilà Damilonneville. Nous sommes dans le bosquet des Bains d'Apollon, qu'aucun de nous ne connait, et nous commençons un vrai voyage d'exploration.

Nous nous arrêtons, interdits, devant la statue du dieu des vers entouré des Muses. La vue de la grotte, à l'entrée de laquelle s'abritent ces personnages, nous arrache une exclamation de joie. C'est au fond de cet antre que Dugué va se tapir, c'est là que je le découvrirai.

Au moment où courbé, l'œil au guet, le doigt posé sur la détente du bâton qui me sert de fusil, je mets en joue Dugué qui écarquille ses yeux, montre les dents et s'apprête à s'élancer sur moi, Damilonneville apparait essouflé.

— Du monde! dit-il.

Du monde! dans le pays des grands Namaquois! est-il bête!

Non, des voix résonnent. L'idée que nos camarades nous ont suivis me traverse l'esprit; nous entendons des rires de femmes, et nous voilà troublés. Si c'était un garde? Nous sommes dans une enceinte où il est défendu de pénétrer, quelle excuse pourrons-nous donner si l'on nous découvre? La peuplade inconnue s'affole, déclare que je suis cause des choses épouvantables qui vont arriver, et le défenseur du camp fait de nouveau cause commune avec elle. L'heure du péril me semble mal choisie pour récriminer, et j'entraîne les révoltés au fond de la grotte. Là, tassés, nous écoutons silencieux, curieux.

Un, deux, trois généraux, en grand uniforme, apparaissent successivement. Ils escortent une demi-douzaine de dames, et sont suivis d'une vingtaine d'officiers. Deux gardes du parc, dont l'un tient un trousseau de clefs, précèdent ce cortége imposant.

— On vient nous arrêter, murmure Damilonneville.

C'est aussi l'opinion de Dugué, et tout à fait la mienne.

Les généraux causent avec les dames, et je suis surpris de ne les voir prendre aucune mesure pour nous cerner. Mais un des gardes nous aperçoit et pousse une exclamation. Les généraux s'approchent, les dames et les officiers aussi, tous nous regardent avec stupéfaction. Ce sont nos costumes, auxquels nous ne songeons guère, qui provoquent ce visible étonnement. Bientôt chacun de rire, sauf les deux gardiens et nous.

Un des généraux a pris la peuplade inconnue par l'oreille, et lui demande ce qu'elle fait là, question à laquelle elle répond

par un torrent de larmes. Interrogés à notre tour, Damilonneville et moi, nous regardons l'interpellateur d'un air idiot, ce qui
n'éclaire pas le moins du monde la situation. Un des gardiens
saisit la peuplade inconnue par le bras et nous ordonne de le
suivre, nous obéissons sans fierté.

Nous faisons le tour du bosquet sur les pas de la brillante
compagnie, et nous apprenons, avec un réel soulagement, que
les généraux n'ont pas revêtu leur uniforme dans l'unique but
de procéder à notre arrestation. L'un est un inspecteur venu de
Paris; il a déjeuné avec ses collègues, et ceux-ci lui font les
honneurs du parc. Les dames sont des générales, des colonelles.
des commandantes. Au passage, on nous fait montrer l'issue
par laquelle nous avons pénétré dans le bosquet; les gardiens
constatent que ce n'est pas nous qui l'avons ouverte; ils nous
regardent aussitôt d'un air moins féroce, nous parlent avec une
moins grosse voix. Un peu rassurés, nous donnons enfin quelques explications; les dames nous écoutent, se mettent à rire,
puis intercèdent pour nous. Une vague espérance nous vient de
n'être pas fusillés.

Nous sortons du bosquet, — par la porte, — et l'un des
gardiens nous conduit vers l'endroit où nous lui avons dit que
se tient le professeur chargé de nous surveiller. A notre appari-

tion, tous nos camarades abandonnent leurs jeux et nous entourent à distance. Notre accoutrement, notre escorte, notre air contrit les changent en points d'interrogation; ils se demandent quel crime nous pouvons bien avoir commis. Nous sommes devant le professeur; il nous examine d'un air antiamical. Sur l'injonction du garde, il décline nos noms, nos prénoms, donne l'adresse de nos parents, et, tandis que l'autre écrit, les mots pain sec, retenue, pensum, renvoi, férule, sortent de ses lèvres qu'agite la colère. Le pauvre homme est innocent, et pourtant il portera une partie de la peine de notre équipée, dont il nous était bien difficile, hélas! de prévoir les sinistres résultats.

Nous remettons nos toilettes en ordre, puis, pendant deux heures, nous restons adossés à un marronnier, regardant jouer nos camarades. L'indignation, le mépris que je lis dans les yeux de mes compagnons d'infortune m'apprennent que c'en est fait de ma suprématie, que je ne dois plus compter sur leur concours. Suis-je en rien coupable de ce qui est arrivé? non; mais les hommes ont toujours besoin d'une victime expiatoire, ils veulent que ceux qui les commandent soient toujours heureux.

Enfin nous regagnons la pension F..., dont nous avons, paraît-il, compromis à la fois la dignité et la bonne renommée. Pour la

L'un des gardiens nous conduit.

réhabiliter, son chef, — dans les grandes occasions il opère
lui-même, — nous administre à chacun quatre coups de férule,

qui, pour la qualité, en valent au moins huit. La douleur
passée, je m'inquiète de ce que dira mon père de cette aventure,
dont je vais avoir, selon toute probabilité, à lui porter le récit

9.

partial, écrit de la main de M. F..... Je me suis trompé, quand Rose vient me chercher, on ne lui dit rien, on ne lui remet rien; je respire plus facilement.

Le surlendemain, alors que ma conscience se rasséranait, mon père me fait appeler dans son cabinet, où je le trouve debout. Il me contemple en silence, les bras croisés, la tête haute. La mienne se baisse, je tords mes pouces, il me semble qu'une douche d'eau brûlante m'inonde les oreilles, qu'un glaçon me glisse dans le dos. Tout à coup, un papier constellé de timbres ou cachets passe sous mon nez.

— Lisez, monsieur, me dit mon père.

Les mots : *Château de Versailles, Procès-verbal*, se détachent en grosses lettres imprimées, puis mon nom, écrit à la main, m'apparaît flamboyant. Je me jette à genoux devant mon père, j'implore son pardon.

— Ce n'est pas à moi qu'il faut demander pardon, me dit-il, c'est au gouvernement dont vous avez violé les lois, méprisé les ordonnances, enfreint les règlements.

Hélas! je ne me croyais pas si criminel, et je suis terrifié. Avec des sanglots, j'explique l'aventure dans toute sa simplicité, et je supplie mon père d'intercéder pour moi près du gouvernement. Le gouvernement, dans mon esprit, c'est le général venu de Paris, et j'affirme n'avoir jamais voulu l'offenser. Mon père, peu à peu, se laisse attendrir; devant ma promesse formelle de respecter à l'avenir les ordonnances, les lois et surtout les enceintes closes, il s'engage à étouffer l'affaire, à désarmer la colère du gouvernement, et il la désarma. De mon côté, j'ai tenu ma parole; je suis peut-être le seul homme de France qui n'ait jamais fraudé l'octroi d'aucune ville, la douane d'aucune frontière, ni manqué de respect à aucun des gouvernements auxquels il a payé des contributions.

CHAPITRE V

Mon enfance n'a-t-elle donc été qu'une suite de lamentables méfaits ? Non pas, et je dois à la vérité, sinon à la modestie, de déclarer que je savais, au besoin, accomplir scrupuleusement mes obligations d'enfant bien élevé, d'écolier studieux. Toutefois, s'il est indubitable que les devoirs strictement remplis laissent la conscience sereine, il l'est plus encore qu'ils ne fournissent rien à raconter. En revanche, les espiègleries, les désobéissances, les fautes, en un mot, sont toujours grosses de catastrophes inattendues. Si je décris minutieusement mes naufrages, ce n'est pas, ai-je besoin de l'affirmer? pour en tirer vanité; mon but est de signaler des écueils. Si la vie des hommes est pleine d'enseignements utiles, pourquoi n'en serait-il pas de même de celle des enfants?

Lorsque, sur le bulletin que je rapportais chaque semaine de la pension F..., le mot *bien* l'emportait en nombre sur celui de *passable*, mon père, à titre de récompense, m'emmenait le dimanche en promenade. Marcheur intrépide, il tenait beaucoup à me donner cette qualité physique qu'il plaçait au premier rang de celles que doit posséder un homme. Il me réveillait de grand matin, puis me conduisait à Garches, à Marly, à Ville-d'Avray, à Sèvres, à Saint-Cloud, à Buc. Amoureux de la nature, il préférait les chemins de traverse aux routes pavées, les sentiers aux chemins de traverse, et, plus encore, les surprises ou les déceptions de l'à travers bois et de l'à travers champs. Oh! cheminer dans une prairie humide, sous des rameaux luisants de rosée, franchir des ruisseaux avec de l'eau jusqu'à mi-jambes, quel idéal, à huit ans! Mais, de retour à la maison, quelle désolation s'emparait de ma mère devant ma chaussure hors de service, devant mes habits déchirés par les ronces! Mon père était grondé. « Il fallait qu'il n'eût pas le sens commun pour conduire un enfant dans les marécages. » Des marécages, la rosée aux gouttes d'or, d'azur ou de vermeil! Mon père promettait de ne plus recommencer, et il recommençait.

— Traversons vite, ta mère ne nous voit pas, me disait-il joyeusement en face d'un pâturage.

Et je ne traversais pas vite, retardé par une fleur qui me tentait, par un papillon qui me narguait, par une libellule qui me défiait.

Ces excursions, outre les satisfactions qu'elles me causaient en me donnant des apparences de petit homme, devenaient pour moi de véritables voyages de découverte, et me procuraient les joies si vives, à tout âge, de l'imprévu. Souvent mon père emportait des provisions; nous déjeunions tantôt à l'ombre d'une haie, un horizon doré par le soleil sous les yeux, tantôt en plein bois. Là, nous nous établissions sur des fougères, près d'un ruisseau qui mêlait son gazouillement à celui des oiseaux, concert que le cri d'un geai interrompait, ou qu'attristait la voix mélancolique d'un coucou. Le repas terminé, mon père fumait avec béatitude, tandis que, rôdant autour de lui, je lui apportais des fleurs, des insectes sur lesquels je voulais des renseignements. Je le vois encore, avec son large front qui frappait tous ceux qui le rencontraient, son œil doux et caressant, sa bouche toujours souriante, me faire asseoir en face de lui; j'entends

encore sa voix grave et chaude m'expliquer ce que je voulais
connaître, m'instruire en n'employant que des mots à ma portée, satisfaire tous les pourquoi de mon insatiable curiosité.
Oh! les souvenirs, le passé! Voilà qu'une larme vient de tomber sur mon papier en songeant que ce regard est éteint, que
cette bouche est muette, que ce bon être, qui me chérissait, qui
me protégeait... et pourtant, le soleil dore comme autrefois les
grands horizons qu'il aimait à contempler, tandis que, voyant
approcher l'heure où j'irai le rejoindre, je raconte à ses petits-
enfants, qui les trouvent neuves, les vieilles histoires qu'il me
racontait.

Nous ne rentrions de nos promenades que pour l'heure du
dîner, et, rendu de fatigue, enivré de grand air, je pensais plus
à me mettre au lit qu'à table. A la grande surprise de Léontine,
qui m'énumérait les richesses du dessert dont elle avait vu les
apprêts, je gagnais ma chambre.

Ma mère s'apitoyait, voyait en moi une victime et sermonnait
mon père.

— Baste! il n'y paraîtra plus demain, répondait-il.

Et, de fait, je me levais le lendemain un peu endolori, mais
pressé de me rendre en classe pour raconter à mes camarades,
qui m'enviaient, ce que j'avais vu ou appris la veille.

Outre de bonnes jambes, que de connaissances me valurent
ces expéditions champêtres ! Grâce à mon père, le nom des
plantes qui bordent les routes me devint vite familier, ainsi que
celui des arbustes et des arbres. Bien que citadin, je sus de
bonne heure distinguer un orme d'un peuplier, un champ
d'orge d'un champ de blé, un merle d'un chardonneret. Ne
riez pas : aucun Versaillais de mon âge, à cette époque, n'eût
été capable d'en faire autant.

Peut-on prévoir la destinée d'un enfant? il y a des heures où
j'en suis convaincu. N'est-il pas singulier qu'en façonnant mon
corps aux fatigues de la marche, en me condamnant, sans le
vouloir, à la lecture des voyages en Afrique de Levaillant, en
m'inspirant le goût des sciences naturelles, en me faisant admirer les beautés des grands horizons, mon père m'ait en quelque
sorte préparé à ces voyages dans les savanes et les forêts du
nouveau monde où le hasard, plus que ma volonté, devait un
jour me conduire ? Mais non, l'homme ne peut rien prévoir, et
il n'y a plus de sorcières assez habiles pour prédire à Macbeth
qu'il sera roi.

Il va sans dire qu'aux jours dont je parle, je ne soupçonnais
guère la valeur des connaissances que j'amassais. Au fond, je
m'intéressais beaucoup plus aux hannetons qui « comptaient

leurs écus », aux taupes en habits de velours que je surprenais
soulevant la terre, aux têtards qui pullulaient dans les flaques
d'eau, aux nids logés dans les branches ou dans les troncs
creux, qu'aux collines que couronne l'aqueduc de Marly, gran-
diose paysage que mon guide, qui connaissait l'Italie, comparait
à ceux de la campagne romaine. Pauvre père, je trouvais toujours qu'il admirait trop longtemps les jeux de la lumière, le
pittoresque des vallées, les formes capricieuses des nuages.
Lorsqu'il s'oubliait par trop dans une de ces contemplations, je
me hasardais à le tirer par la main, à lui dire que j'avais assez
vu. Il souriait, et, sachant mon faible, il me racontait, pour me
dédommager, ce qu'il savait des mœurs de la taupe, de celles
des têtards que j'ambitionnais de voir se transformer en gre-
nouilles, de celles des vers blancs que j'aurais voulu voir se
transformer en hannetons. Certes, je croyais aveuglément aux
merveilleuses métamorphoses que me décrivait mon professeur;
néanmoins, de même que saint Thomas, ou plutôt comme
Aristote, j'aurais voulu voir.

Un jour, en plein soleil, sur la route de Ville-d'Avray, j'aperçus, à demi couverte de duvet, une petite boule qui se mouvait
dans la poussière. J'appelai mon père.

— Un pinson, dit-il.

Un pinson, ce morceau de chair rose dont je ne voyais pas les pattes, qui agitait deux moignons informes, et dont la bouche coupait la tête en deux ! Je crus à une plaisanterie et je m'écriai :

— C'est un crapaud !

— Non, répliqua mon père, c'est un pinson.

Je regardai de nouveau le misérable être, n'osant le toucher tant il me semblait affreux. Mon père se trompait pour sûr, ce ne pouvait être là un des jolis passereaux dont une paire, logée au sommet d'un pommier, modulait précisément au-dessus de moi une joyeuse chanson.

— Il se métamorphosera donc ? demandai-je.

— Oui, car il se couvrira de plumes.

Mon père releva l'oisillon, puis, un à un, il examina les buissons qui bordaient la route, cherchant le nid d'où il avait dû tomber. N'en trouvant pas trace, il supposa qu'il avait été emporté par des enfants qui, dans la joie de leur trouvaille, n'avaient pas vu choir notre prisonnier.

A l'heure à laquelle je partais, Rose, déjà debout, lestait ma poche de biscuits. Mon père me demanda un de ces gâteaux, le mâcha, et donna à manger au petit affamé qui, dans sa détresse, tenait en permanence son bec ouvert. En quelques minutes le fragile être devint rond comme une bille; fermant alors son bec, puis ses yeux, il fit mine de vouloir dormir. Mon père, avec une adresse que j'enviai, lui façonna un lit de mousse, et parla de suspendre cette couche improvisée aux branches d'un sureau. Les cris de l'oisillon, lorsqu'il se réveillerait, attireraient peut-être sa mère.

— Et si elle ne l'entend pas? m'écriais-je.

— Il mourra de faim, répondit mon père, ou sera mangé par une belette.

Je me mis à pleurer; un oiseau sans plumes, sans mère, condamné à mourir de faim ou à être dévoré par une de ces belettes dont le corps onduleux ressemble si bien à celui des serpents, me paraissait la plus épouvantable aventure que l'on pût imaginer.

— Nous allons l'emporter, me dit soudain mon père, touché de mon chagrin; tu essayeras de l'élever, et tu verras s'opérer une de ces transformations qui t'intriguent si fort. Toutefois, lorsque ce pinson pourra se servir de ses ailes, il reste bien entendu que tu lui rendras la liberté, sans laquelle nul être vivant ne saurait être heureux.

La joie sécha subitement mes larmes; puis je m'emparai du nid fabriqué par mon père et au fond duquel reposait l'orphelin.

A première vue, il m'avait paru laid, très-laid, cet oisillon; en
le regardant mieux, je le trouvai gentil, puis joli; car je le
considérais comme m'appartenant. Or, c'est un phénomène

singulier, mais bien connu de tout le monde, que les objets qui
deviennent nôtres gagnent aussitôt en qualité.

Je me mis en route d'un pas alerte, portant « mon oiseau »
avec tant de délicatesse, dans la crainte de troubler son sommeil, que je faillis par deux fois le laisser choir. Mon père, pré-

voyant une catastrophe, se chargea de son transport. De temps à autre je me faisais montrer le petit endormi, et mes larmes de couler. Un oiseau sans plumes, sans nid, sans mère! mon cœur saignait de tant d'infortunes.

— Bien, bien, répétait mon père qui semblait heureux de mes explosions de sensibilité, aie toujours pitié de ceux qui souffrent, gens ou bêtes; des bêtes surtout, ajoutait-il, puisque tu les domines par l'intelligence.

A cette dernière recommandation, je baissais la tête et je rougissais. L'ombre sanglante de toutes les mouches que j'avais écrasées passait brusquement devant mes yeux. Les mouches possédaient des mères, les hannetons et les araignées aussi, et je me sentais criminel. D'où vient que je ne m'étais jamais préoccupé de la souffrance des victimes que je martyrisais, et que le sort du petit pinson, dont je n'étais pas cause, m'arrachait des pleurs? C'est que l'enfant n'est frappé que par les choses matérielles. S'il voyait les mouches pleurer, s'il entendait les hannetons gémir, s'il pouvait apercevoir l'angoisse qui doit se peindre sur les traits d'une araignée prisonnière entre deux doigts, il respecterait leur vie. « Cela ne leur fait pas de mal », disent avec conviction les bambins lorsqu'ils dissèquent un être tenu pour inférieur. Hélas! leur ignorance les trompe; les bêtes connaissent la douleur. Seulement, plus stoïques que l'homme, elles la supportent avec une résignation touchante.

Notre arrivée au logis fut un véritable événement, chacun voulut examiner l'orphelin, et j'eus à raconter ce que je savais

de ses malheurs. Je commençai par bien établir devant ma sœur que l'oiseau m'appartenait exclusivement, mais je n'en fus convaincu que lorsque mon père, après ma promesse formelle de ne négliger aucun de mes devoirs, me permit de l'établir dans ma chambre. Mon premier soin fut de styler Léontine,

de l'obliger à marcher sur la pointe des pieds, à parler bas, à
fermer doucement les portes et les tiroirs, pour ne pas troubler
le sommeil de mon oiseau. Rose, qui affirmait avoir élevé des
poussins, confectionna une pâtée que, sous sa direction, je fis
manger à mon élève à l'aide d'une allumette en guise de cuiller.
Du coup, Rose acquit toute ma confiance; je la chargeai de
surveiller le pinson pendant mes absences forcées, et surtout
d'empêcher Léontine d'y toucher.

Le lundi, à l'heure de la récréation, je devins le point de mire
général des élèves de la pension F... On oublia de jouer pour
écouter le pathétique récit de ma trouvaille, et chacun de
répéter que « j'avais joliment de la chance ». Toutefois, en dépit de mes explications précises, nul ne paraissait convaincu que
l'orphelin fût un pinson. Les uns opinaient pour un merle, les
autres pour un corbeau. Un grand déclara que, si l'oiseau
ouvrait réellement un bec aussi large que je le prétendais,
ce devait être au moins un aigle. Des experts se proposèrent, et,
le soir, je rentrai au logis, flanqué, grâce à la condescendance
de Rose, de douze de mes amis intimes, et suivi d'une quinzaine
de curieux. Je descendis la cage dans la cour, et les experts,
d'un commun accord, conclurent que décidément l'oiseau était
trop petit pour être un aigle, et que, jusqu'à l'époque où il

Les experts, d'un commun accord, conclurent...

10.

aurait des plumes, il n'y avait pas d'inconvénient à le considérer comme un pinson.

Peu à peu mon pensionnaire devint le pivot de mon existence, et fit de moi, momentanément, un écolier modèle. Je ne sais trop s'il ne me devint pas plus cher que ma sœur, que cependant j'aimais bien. Quelle satisfaction de voir l'oisillon perdre chaque jour de sa laideur, ouvrir un bec moins large, se tenir sur ses pattes, se couvrir de plumes, se métamorphoser enfin en oiseau ! Quelle fierté je ressentais en le voyant agiter ses ailes à mon approche, pousser de petits cris qui s'adressaient, je ne le savais pas alors, moins à moi qu'à la pâtée que j'apportais ! Il apprit à becqueter du millet entre mes lèvres, à se tenir sur ma table tandis que je lisais ou écrivais. Lorsque je récitais mes leçons à haute voix, il m'écoutait avec attention, et penchait la tête aux bons endroits. Il devenait remuant, frétillant, essayait ses ailes. Il se posait sur mon épaule, sur ma tête, et s'y oubliait fréquemment, dans le mauvais sens du mot. Je le laissais en liberté, mais seulement quand j'étais là, car mon père possédait un chat qu'il tenait pour très-intelligent, et que j'avais toujours trouvé bête.

Ce féroce Mistigris, auquel on ne pouvait toucher sans attraper une égratignure, et qui me fuyait depuis que j'avais

tenté de lui apprendre à faire l'exercice, rôdait maintenant à
toute heure près de ma chambre, et réussissait parfois à y
pénétrer. A plusieurs reprises, je le trouvai en contemplation
devant la cage de mon pinson. Accroupi, les pattes repliées, il
le regardait avec des prunelles luisantes, et semblait prendre un
plaisir extrême à le voir sautiller. Je n'étais pas dupe de cet air
candide, j'avais maintes fois vu le bon apôtre jouer avec des
souris encore vivantes, feindre de les laisser fuir, les rattraper
et enfin les croquer. Il n'y a pas, sur la terre, que les enfants
qui soient cruels.

Un soir, au retour de la classe, je trouvai ma sœur tout
émotionnée.

— Mistigris a pris ton pinson ! me cria-t-elle.

Je sentis ma gorge se serrer, mes jambes trembler, mon cœur
bondir.

— Il l'a man...

Le mot terrible que je voulais prononcer se figea sur mes
lèvres.

— Non, reprit Léontine qui devina la fin de mon interrogation, il n'a pas eu le temps.

Je cours à ma chambre, je trouve Mistigris près de la porte,
et je lui lance un coup de pied qu'il esquive. Je suis devant la

cage avec des larmes prêtes à déborder. Léontine, qui m'a suivi, me raconte alors qu'elle est entrée au moment où l'assassin... le chat, veux-je dire, avait, en glissant sa patte soudaine-

ment pourvue de griffes à travers les barreaux, acculé le jeune pinson. Elle avait levé les bras, crié *foufoufou* de toutes ses forces, et Mistigris, effrayé, avait sauté par la fenêtre.

— Il s'est tué? m'écriai-je, oubliant que je venais de le rencontrer.

— Non, il a grimpé sur le lilas, puis il a repassé ses griffes.

J'embrassai Léontine, je la félicitai de sa belle conduite, et je lui promis qu'avant un mois ou deux, le pinson serait aussi à elle, pourvu qu'elle continuât à veiller sur lui. Cet encouragement donné, j'allai trouver mon père et je l'instruisis de l'attentat de Mistigris.

— Que veux-tu? il a obéi à son instinct dont rien ne le corrigera, me dit-il.

Ces paroles m'indignèrent; en ce moment, j'aurais voulu qu'il fût dans l'instinct des pinsons de dévorer les chats et faire croquer Mistigris sous les yeux de son maître.

— Il faut, reprit mon père, accrocher désormais la cage assez haut pour qu'aucun chat ne puisse l'atteindre; ou plutôt, ce qui vaut mieux encore, c'est de reconduire ton pinson dans les bois, puisqu'il sait voler.

Je me retirai consterné. Reconduire le pinson dans les bois, c'est-à-dire le livrer aux belettes, aux buses, aux hiboux, mon père n'y songeait pas. Puis comment étudierai-je mes leçons sans ce joyeux camarade? D'ailleurs, voudrait-il me quitter? Le conduire dans les bois! comment saurait-il chercher à boire, trouver à manger, se coucher? Non, mon père n'y songeait pas, et ma sœur pensa comme moi.

Une semaine s'écoula, et j'avais presque oublié les paroles de mon père, lorsque je trouvai de nouveau Léontine émotionnée. Le pinson était malade, il n'avait pas bougé de la journée, il se tenait sur une patte, tout gonflé. Il était malade, et je fus stupéfait d'apprendre qu'il n'y avait pas de médecins pour les oiseaux. Ce soir-là, je n'étudiai pas mes leçons; je m'installai près de la cage, essayant de temps à autre de faire manger l'orphelin, de le réchauffer. Il me regardait d'un air morne, puis couvrait son œil, la veille encore si brillant, d'une paupière blanche que je ne lui connaissais pas. Tout rond, il demeurait immobile. Le lendemain, le voyant dans le même état, je tentai d'avoir mal à la tête pour ne pas aller en classe. On m'y envoya néanmoins, et l'on eut tort. Anxieux, l'esprit distrait, je fis de mauvaise besogne.

Le surlendemain, à peine debout, je cours à la cage et je pousse un cri qui réveille Léontine. Le petit oiseau gît près de sa mangeoire, les plumes ternes, les pattes crispées, l'œil vide, le ventre en l'air. Je me hâte de le prendre, sa tête se renverse, ballotte, comme trop lourde.

— Il dort, dit ma sœur.

Oui, il dort, et cet étrange sommeil me fait peur.

J'appelle Rose, elle jette un coup d'œil sur l'oiseau.

— Il est mort, dit-elle.

Comme je la regarde anxieux, la brave fille croit que je n'ai pas entendu et répète :

— Il est mort.

Mort! ce mot, jusqu'alors, je l'avais prononcé ou entendu prononcer sans qu'il m'émût, faute de bien comprendre ce qu'il signifiait, ce qu'il cachait. Mourir, pour moi, c'était s'absenter, aller en voyage, partir au loin pour revenir. Lorsque Rose m'explique que le petit pinson ne remuera plus, qu'il n'ouvrira plus les yeux, qu'il ne chantera plus, que je ne le verrai plus accourir quand je l'appellerai, qu'il va redevenir terre, et que son insensibilité, qui doit durer toujours, toujours! c'est la mort, je me mets à sangloter. Ma sœur et ma mère s'attendrissent, essayent de me consoler. Mon chagrin, comme tous ceux qui naissent de la même cause, n'avait qu'un remède dont Dieu seul est maître : le temps.

On ne m'envoya pas en classe, et l'on m'offrit de me procurer un autre oiseau; je refusai, c'était assez d'en avoir vu mourir un. Pendant plusieurs mois, il me fut impossible de parler des gentillesses du petit pinson sans fondre en larmes, ce qui m'apprit, hélas! que nos joies perdues deviennent des douleurs. Je me consolai peu à peu; mais je n'oubliai plus la sombre faucheuse qui semble frapper au hasard, dont les coups imprévus devaient tant de fois encore, désoler mon âme et faire saigner mon cœur.

A l'époque de ma vie que je raconte, Versailles était une belle ville composée de deux parties à peu près égales, le quartier Notre-Dame et le quartier Saint-Louis, que séparaient de longues avenues plantées d'arbres. La population de l'aristocratique cité se montrait si casanière que ses rues, ses places, ses avenues semblaient toujours désertes. Les Anglais aimaient ce séjour paisible, mais les Parisiens, accoutumés à l'insupportable brouhaha de leur fourmilière, trouvaient le beau Versailles monotone, triste. Le temps, qui a la réputation de tout transformer, n'a pas, sur ce point, modifié l'opinion des Parisiens, ils trouvent toujours Versailles mélancolique.

Il faut, disent les philosophes, être né dans un village pour connaître l'amour du clocher, ce point de départ de l'amour de la patrie. Versailles n'est pas un village, il n'a pas de clocher proprement dit, et, néanmoins, j'aime sa somnolence de créole, son calme de personne mûre, sa gravité de puissance déchue.

Depuis qu'il est de mode, toujours parmi les philosophes, d'étudier physiquement le coin du monde où un homme est né pour chercher l'explication de ses tendances, de ses aptitudes, de son caractère, et même la raison des œuvres qu'il a produites, je me suis souvent demandé ce que mon esprit doit à Versailles. Est-ce parce que je suis né en plein quartier Notre-Dame que, dans certaines occasions, j'ai pensé rose plutôt que bleu, tourné à droite plutôt qu'à gauche? Voilà qui serait merveilleux. Je croirai à ces influences empiriques le jour où il me sera prouvé que l'inventeur des siphons à eaux gazeuses est né à Seltz, que Molière a parlé dans le *Misanthrope* le langage des halles, ou que Racine a peint, dans ses tragédies, les mœurs des naturels de la Ferté-Milon.

Toutefois, ayant été élevé au centre d'une ville marquée de l'indélébile cachet de Louis XIV, je n'oserais nier que la vision constante du règne éblouissant de ce monarque n'ait pas influé sur mon esprit. Que de fois, sur l'escalier des Cent marches, dans les bosquets peuplés de statues, en face du Tapis vert, j'ai vu, l'imagination de mon père aidant, la cour du grand Roi défiler sous mes yeux! Les noms de Condé, de Turenne, de Tourville, de La Rochefoucauld, de Corneille, de madame de Sévigné, de Boileau, de Molière, de La Fontaine, de Racine, de

Bossuet, de Vauban, et de cent autres hommes illustres à des titres divers, m'étaient familiers à huit ans. La gloire, ce bruit qui, dit-on, met en fuite le bonheur, me fit dresser l'oreille dès mon enfance, et souhaiter de devenir un général victorieux, un ministre intègre, un grand peintre. Était-il véritablement indispensable que je naquisse à Versailles pour ambitionner ces grandeurs-là?

Montaigne eût dit : Que sais-je ? et Rabelais : Peut-être !

J'ai dit que, dans mon enfance, il y avait à Versailles beaucoup d'Anglais; il y faut ajouter nombre de petits rentiers et de militaires en retraite. Les oisifs, du printemps à l'automne, s'établissaient sur les bancs de l'avenue de Saint-Cloud, et, à l'heure à laquelle Rose me ramenait de la pension, je voyais les mêmes vieillards, avec le même costume, assis à la même place et sans doute parlant d'une même chose : leur jeunesse. De temps à autre, je remarquais un vide sur l'un des bancs, et l'absent ne reparaissait plus. Je le croyais en voyage, et je ne me trompais qu'à demi. Il était en effet parti pour les mystérieuses contrées où vont les pinsons, où vont aussi les hommes.

De ces vieillards, il en est une demi-douzaine dont les allures, le visage, la mise se sont si bien implantés dans ma mémoire,

Sur des bancs particuliers que je connaissais bien...

qu'il me suffit de fermer les yeux pour les voir apparaître. C'est qu'ils ne ressemblaient pas à tous les autres, ces hommes ; ils avaient des façons particulières, un langage à eux, et je les tenais pour des êtres à part, qui, en général, prisaient au lieu de fumer. Les uns portaient des catogans, les autres des ailes de pigeon, d'autres des queues, qu'ils surmontaient de chapeaux tricornes. J'admirais leurs culottes courtes en velours bleu, leurs vastes gilets à ramages, leurs bas chinés, leurs jabots, leurs habits à la française, leurs souliers à boucles, leurs cannes à pomme d'or, et, sur la foi de Rose, je voyais en eux des Versaillais du temps de Louis XIV. Ils dataient simplement du règne de Louis XV ; mais que de choses ils avaient vues !

Sur des bancs particuliers, que je connaissais bien, s'asseyaient des hommes moins vieux, aux moustaches grises, à la longue redingote, le cou emprisonné dans des cols noirs, le pantalon perdu dans des bottes, lorsqu'il ne leur manquait pas une jambe. Presque tous avaient le visage balafré, et bon nombre d'entre eux étaient manchots. Ceux-là, je les regardais avec respect, c'étaient d'anciens officiers de Napoléon.

Napoléon, pour les enfants de la génération à laquelle j'appartiens, n'était pas le faux général, le faux victorieux, le faux grand homme que des historiens modernes ont fabriqué depuis.

C'était le génie de la guerre, un demi-dieu foudroyé, et l'on se
montrait avec admiration ses anciens soldats. Ils avaient vu,
ces hommes de fer, Turin, Milan, Naples, Rome, le Caire,
Vienne, Bruxelles, Berlin, Madrid, Moscou; et Castiglione,
Rivoli, les Pyramides, Marengo, Austerlitz, Iéna, Wagram,
Eylau, Friedland, la Moskowa, Hanau, Dresde, Lutzen, Baut-
zen, Montmirail, Champaubert et même Waterloo, témoignaient
de leur valeur et du génie de leur capitaine. Ils avaient, de compagnie, asservi l'Europe, ébloui le monde, saturé la France de
gloire et fourni aux poëtes, nés et à naitre, la matière granitique
de vingt épopées. Ce sont les récits de ces vétérans qui, enflam-
mant mon jeune courage, exaltant mon amour de la patrie, me
donnèrent l'idée de devenir général, de me battre à outrance
contre les Anglais représentés par Jules, et de les vaincre
toujours.

Fils d'un officier, mon père encourageait mes idées belli-
queuses, que ma mère, en revanche, combattait et blàmait. Un
jour que je lui exposais la façon dont je m'y prendrais pour
triompher lorsque je serais général pour de vrai, elle m'imposa
silence.

— C'est cela, me dit-elle, tu feras tuer des millions d'hommes,
et tu feras pleurer durant toute leur vie autant de pauvres

mères, avant d'aller mourir sur un rocher, le foie rongé par un vautour. Si tu veux absolument devenir célèbre, imite saint Vincent de Paul; quoi qu'en dise ton père, il est aussi connu que son Napoléon, et il n'a jamais tué ni fait tuer personne.

Cette humaine réflexion me fit momentanément renoncer au généralat, et je songeai sérieusement à devenir un saint. Au lieu de persévérer, je me laissai séduire par Levaillant, et je n'ai plus à raconter ce qu'il en advint.

La terrible aventure du procès-verbal me dégoûta des voyages de découverte, et je me mis à la recherche d'une nouvelle carrière. Une circonstance inattendue me lança dans une voie qui, celle-là, eut sur ma vie une influence aussi puissante que celle de Levaillant : voici les faits.

Dès la première année de ma rentrée dans la maison paternelle, ma mère prit la coutume, à l'approche du jour de l'an et de la fête de mon père, — ces deux dates se côtoyaient, — de me faire apprendre un compliment. A mesure que je grandis, le compliment s'allongea de son côté, et, de cinq lignes qu'il mesurait d'abord, il arriva à vingt, puis à trente. Une année, ce fut une fable que j'eus à me loger dans la tête, et je me tirai si bien de cette difficulté que ma mère, l'année suivante, ne craignit pas de me mettre aux prises avec Racine. Elle me fit étudier le récit par lequel Théramène, consterné, fait part à Thésée du malheur arrivé à Hippolyte; mais qui n'a pâli sur ces beaux vers?

Personnellement, il m'en coûta huit jours d'application pour me loger dans la mémoire les soixante-treize alexandrins que débite le confident d'Hippolyte, et je n'oserais affirmer qu'ils m'aient paru, à cette époque, aussi admirables qu'ils le sont.

Les vers sus, je ne fus pas à bout de peine ; il me fallut, de ma plus belle écriture, c'est-à-dire d'une moyenne un peu accidentée, les transcrire sur un papier de format inusité, bordé de fleurs. Ma mère passa trois jours à surveiller cette opération calligraphique, me traçant au crayon les lettres capitales, car la forme historiée des majuscules a longtemps dérouté ma plume. Enfin les quatre pages qui contenaient le chef-d'œuvre furent remplies, et, l'encadrant d'un parafe dont j'étais d'autant plus fier que je venais de l'inventer pour la circonstance, j'écrivis fièrement mon nom sous le dernier vers, convaincu que je venais de collaborer avec Racine.

Ma mère m'avait recommandé le secret le plus absolu, surtout en face de mon père, qui, j'aurais pu l'oublier, devait ignorer jusqu'à la dernière heure la surprise qu'on lui préparait. Aussi, comme le jeune Spartiate qui, impassible, se laisse dévorer le ventre par le renard qu'il avait volé, j'étais prêt, pour une meilleure cause, il est vrai, à endurer les supplices les plus cruels plutôt que d'avouer ma complicité avec l'auteur de *Phèdre*.

Trois jours s'écoulèrent, jours assez pénibles pour moi. Lorsque mon père m'adressait la parole, je tremblais de le voir m'interroger sur le récit de Théramène. J'étais embarrassé de savoir cette tirade par cœur ; il me semblait que cela devait se voir à distance, et je n'osais ouvrir la bouche, dans la crainte de parler en vers. C'est que les harmonieux hémistiches du poëte dansaient dans ma cervelle, et j'aurais donné mon sac de billes, ma toupie de buis, voire les vieilles cartes à jouer que j'avais transformées en capucins, pour apercevoir la croupe tortueuse du dragon créé par Neptune.

Un soir, après m'avoir vêtu de mes plus beaux habits, ma mère lut à haute voix le célèbre monologue, afin de me donner une dernière fois l'intonation. Me plaçant ensuite un bouquet dans la main droite, et dans la gauche mon manuscrit enrichi de faveurs bleues, elle me guida vers le salon, ouvrant les portes toutes grandes, multipliant les recommandations. Désirant les suivre toutes à la fois, ces recommandations, j'allais trébuchant, ahuri, et je me trouvai, plus vite que je n'aurais voulu, en face de mon père entouré d'une douzaine de ses amis. Il m'embrassa, posa le bouquet que je lui présentai sur un guéridon, et déroula le manuscrit. Un silence profond s'établit aussitôt, et toutes les personnes présentes rapprochèrent leur siége pour former un cercle dont je devins le centre. Une belle jeune fille, qui alors m'intimidait, faillit tout gâter, car elle s'installa près de moi, avec la charitable intention de remplir l'office de souffleur.

— Commence, dit mon père.

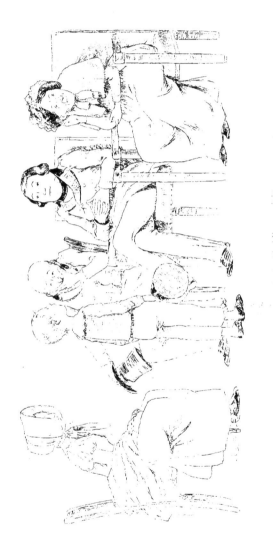

Un silence profond s'établit aussitôt.

À peine nous sortions des portes de...

— Trop vite, murmura ma mère.

Je me tus. C'était, paraît-il, mon défaut capital d'aller trop vite.

— Recommence, me dit mon père avec bonté.

Je devins pourpre, mon cœur battit, — je n'étais brave que sur les champs de bataille, — néanmoins je recommençai. On n'eut pas à me souffler, et j'arrivai jusqu'au bout de la longue tirade sans commettre une seule faute. Des applaudissements prolongés saluèrent le dernier hémistiche; puis, je fus caressé, félicité, embrassé, même par la belle mademoiselle Zoé. Ma mère rayonnait; elle aussi, j'en suis persuadé, me crut un instant pour quelque chose dans les vers que je venais de dire. Elle et moi, ce jour-là, nous connûmes les enivrements de la gloire!

Pendant un mois on me fit déclamer devant chaque visiteur, et même en ville, le récit de Théramène. Cela m'amusa d'abord; puis, artiste dramatique sans vocation, je me lassai des bravos. Bientôt la tâche que l'on m'imposait devint pour moi une corvée odieuse, à laquelle je tentai de me soustraire. Un beau jour, j'alléguai très-sérieusement qu'à force de réciter les vers de Racine, je commençais à les oublier, phénomène auquel ma mère refusa de croire. Il fallait la convaincre; j'en cherchai le moyen et je le trouvai, du moins je le crus.

Dans une occasion solennelle, au moment où le flot reculait épouvanté, je m'interrompis en déclarant que je ne pouvais aller plus loin. On me dit de sauter le passage que j'avais oublié, et je répliquai qu'alors on ne comprendrait pas. On insista, je fis mine de pleurer, et ma mère, humiliée, se hâta de m'emmener.

A peine rentrée, elle exécuta ce dont elle m'avait menacé durant le retour, elle instruisit mon père de l'embarras dans lequel je l'avais plongée. L'air indigné de mon père me fit pleurer pour de bon, et mal m'en advint. Du récit de ma mère il inféra que j'avais refusé de dire les vers parce que je jugeais les personnes qui m'écoutaient incapables de les comprendre, et il m'accabla aussitôt de phrases ironiques.

— Quoi! me dit-il, te crois-tu vraiment tant d'esprit, alors que tu n'es qu'un misérable perroquet? Si tu étais l'auteur des vers que l'on t'a appris, peut-être pourrais-tu les trouver si profonds, si sublimes, qu'aucun auditeur ne fût digne de les écouter. Ce serait déjà de l'outrecuidance et de la sottise; mais...

Je voulus répliquer, expliquer, et je reçus l'ordre péremptoire de me rendre dans ma chambre, où l'on me servirait de l'eau et du pain sec. Je me retirai révolté, indigné que l'on ne m'eût pas laissé me justifier. J'oubliai ma mauvaise volonté, mon mensonge, mes torts, pour ne voir que celui dont j'étais victime; je

jugeais sur un fait et je négligeais l'ensemble; les grandes personnes commettent parfois cette erreur-là.

L'heure du dîner bien passée, je me décidai à mordre dans mon pain. Je mangeais la dernière bouchée lorsque ma sœur

parut; elle venait me voir en cachette. Je l'interrogeai aussitôt
sur le menu du repas, et elle m'apprit qu'il y avait eu de la
brioche au dessert. C'est cela, on m'avait condamné au pain
sec pour avoir plus de brioche! J'allais me mettre en rage,
lorsque Léontine me présenta une part du délicieux gâteau, part
prise sur la sienne et qu'elle avait dû cacher pour me l'apporter.
Ma colère se dissipa, la contraction de mes traits se fondit dans
un sourire, la vie me parut, en dépit de ses amertumes, avoir
des moments agréables. Mais quelle amie qu'une sœur digne
de ce nom! Après votre père, votre mère et votre chien, c'est le
seul être qui vous pardonne sincèrement vos mauvaises
humeurs, vos injustices, vos ingratitudes; qui, à l'occasion,
partage avec vous sa brioche, et toujours son cœur.

Je renvoyai bientôt Léontine, dans la crainte qu'elle fût surprise en flagrant délit de charité et punie. Demeuré seul, je
ruminai toutes sortes de choses, écartant avec soin les mauvaises. Soudain les paroles prononcées par mon père me
revinrent à l'esprit.

— Si tu étais, m'avait-il dit, l'auteur des vers que tu récites...

Au fait, pourquoi n'essayerais-je pas de fabriquer des vers?
personne ne me l'avait défendu.

Cette idée, comme toutes celles qui me souriaient, fit un si

rapide chemin dans ma cervelle que je pris aussitôt un crayon
pour me mettre à l'œuvre. Grâce au récit de Théramène, j'avais
dans l'oreille le rhythme des alexandrins, et je savais accoupler

les rimes, sans toutefois distinguer nettement leur sexe. Repre-
nant le volume qui avait servi à mes études de déclamation, et
que l'on m'avait confié pour que je pusse réparer les soi-disant
lacunes de ma mémoire, je vis que *Phèdre* se divisait en scènes
et en actes, et que l'ensemble formait une tragédie. J'entrepris

donc de confectionner une tragédie; seulement, je ne savais trop comment m'y prendre.

A l'heure de mon coucher, avec les plus minutieuses précautions pour ne pas trahir mon dessein, j'interrogeai Rose sur le procédé qu'employait Racine pour écrire des tragédies. Rose ouvrit de grands yeux, m'assura qu'elle ne connaissait ni *Phèdre* ni Racine, et qu'elle ignorait ce que c'était qu'une tragédie.

— C'est une machine, lui dis-je, divisée en scènes et en actes.

— Les actes, répéta-t-elle, mais c'est l'ouvrage des notaires.

Cette naïve réponse fut pour moi un trait de lumière. Mon père comptait un notaire parmi ses amis, et j'avais vu, dans sa maison, trois ou quatre jeunes gens sans cesse occupés à écrire des actes. Pendant un mois, je vécus avec la conviction que les notaires étaient des poètes tragiques; je généralisais trop.

J'eus un moment de découragement, mais j'avais une grande force de volonté. Ce que les notaires faisaient à trois ou quatre, je résolus de l'exécuter seul. Je ne m'occupai ni du sujet, ni du plan, ni de la division de la tragédie que je voulais écrire, je ne m'occupai que de la seule partie qui me parut sérieuse, celle des vers. Il ne s'agissait, après tout, que d'en fabriquer sur le modèle de ceux de Racine, j'en trouvai subitement le moyen. Prenant *Phèdre* au début et ayant lu :

Le dessein en est pris; je pars, cher Théramène,
Et quitte le séjour de l'aimable Trézène.
Dans le doute mortel, etc.

Je paraphrasai non sans labeur :

Je ne suis pas content, mon ami Théramène,
Et je veux m'en aller de la belle Trézène;
Je suis à moitié mort, etc., etc., etc.

En somme, je n'avais peut-être pas découvert la vraie manière de composer une tragédie, mais j'en avais trouvé une. Dieu, qui voit tout, vit, la première scène achevée, ma joie et mon orgueil.

Le travail auquel je me livrai paraît très-simple, c'est une erreur, il est très-compliqué; ceux qui en douteraient n'ont qu'à essayer. Mes vers, bien que boiteux et souvent inintelligibles pour moi-même, comme me le paraissaient du reste à cette époque bon nombre de ceux de Racine, me coûtaient plus de labeurs que des vers droits sur leurs pieds. Pendant un mois, je me consacrai corps et âme à la tâche intellectuelle que je m'étais donnée. On me croyait à mes devoirs, et cette application me valait des éloges. J'en rêvais de plus éclatants. Que dirait mon père le jour où je lui déclamerais un récit de Théramène de mon cru? Quelle réponse à ses moqueries!

Hélas! soit par les rapports de Rose, soit par les indiscrétions
involontaires de Léontine, qui me voyait sans cesse écrire et
cacher des feuillets, il arriva qu'un soir, au retour de la pension,
je trouvai mon père et ma mère en possession de mon manuscrit. Mon père lisait à haute voix, s'interrompait pour rire,
tandis que ma mère écoutait d'un air sérieux. Au chagrin de
voir mon secret découvert se joignit vite l'appréhension d'un
châtiment; mais il n'y avait pas crime, une caresse de ma mère
m'en convainquit. Mon père, me prenant à partie, se moqua
de mon entreprise, de mes ignorances, de ma présomption.
Sur ce dernier point il avait tort, et m'accusait d'un défaut que
j'ignorais.

Cette exécution me mit la mort dans l'âme, et je gagnai ma
chambre convaincu que, pour composer des vers, il fallait une
tête plus grosse que celle que je possédais. Dès le lendemain
je m'informai, sans en avoir l'air, de la constitution des poëtes, et
j'appris, non sans joie, qu'ils se distinguaient des autres hommes
par leurs productions, non par des signes extérieurs. Or, voyez
l'effet d'une moquerie! piqué, humilié, je m'entêtai dans mon
idée, non précisément de composer une tragédie, mais d'en
arriver un jour à écrire, soit en vers, soit en prose, ou autrement. Cette résolution, je la cachai au fond de mon âme, sans

jamais la perdre de vue, et elle devint pour moi un stimulant pour la lecture et l'étude.

Dix années plus tard, je pénétrai un soir dans le cottage qu'habitait alors mon père, près de Londres. J'arrivais de Paris et je le trouvai au coin du feu, lisant. Après les premières effusions, je m'établis en face de lui, et, développant un paquet d'une main tremblante, je lui présentai un recueil de vers sur la couverture chamois duquel se détachait mon nom, le sien. Il me regarda interdit, et, par un renversement des choses assez fréquent dans la vie, c'est lui qui, cette fois, eut les yeux humides, dont le cœur battit. Il voulut lire à haute voix une des pièces qui composaient le recueil, mais sa langue s'embarrassa si bien qu'il ne put que me presser contre son cœur. Hélas! ma mère, qui n'avait pas ri de mes premières tentatives, n'était plus là pour jouir de mon triomphe, pour trouver sublimes, — j'en suis sûr, — ces vers de rimeur dont la médiocrité m'amuse aujourd'hui.

Au résumé, en dépit de mille vicissitudes, de mille difficultés matérielles héroïquement combattues et vaincues, deux des rêves de mon enfance se sont réalisés. J'ai parcouru des pays inconnus, et, si je n'ai pas commis de tragédies, j'ai perpétré des livres. J'ai peut-être mal fait, mais, au moins, je n'ai pas

12

178   *Quand j'étais petit.*

fait de mal. J'ai toujours tenté d'amuser, voire d'instruire les honnêtes gens, sans jamais me dissimuler que c'est là un mauvais chemin pour s'élever jusqu'aux astres, dans le pays du monstrueux Rabelais.

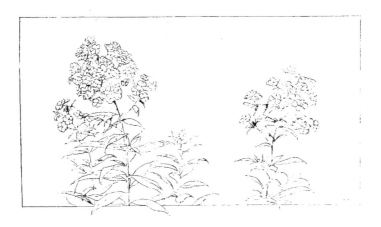

CHAPITRE VI

A force de travailler avec insouciance, plus par crainte des
châtiments que par zèle ou par goût, puis de jouer avec l'ardeur
que j'aurais dû apporter à l'accomplissement de mes devoirs,
j'atteignis ma dixième année. Dix ans ! c'est là une date impor-
tante dans la vie d'un enfant, une date de sérieuse transition.
On se trouve brusquement placé sur la limite d'une période
qui finit : l'enfance proprement dite, et sur le seuil d'une ère qui
va naître : l'adolescence. A dix ans, la raison prend enfin le rôle

12.

prépondérant qui lui appartient, on devient en partie maître de ses pensées et de ses actions, on se sent responsable du mal que l'on fait. L'enfant de dix ans a des aspirations d'homme ; il en serait un s'il ne lui manquait une qualité douloureuse à acquérir : l'expérience.

En dépit du fouet, des gronderies, du pain sec, des coups de férule, des mésaventures qui à de certains jours assombrirent mes premières années, comme elles sont restées souriantes dans mon esprit, ces années heureuses ! Heureuses, oui ; car, de ma naissance à l'époque que je raconte en ce moment, aucun des grands faits qui agitèrent le monde ne parvint à m'émouvoir. La terre, à cette époque fortunée, eût pu modifier de fond en comble son antique système de rotation, que je n'aurais vu dans ce cataclysme qu'un motif d'amusement. En revanche, lorsque l'on combattait ma volonté ou mes désirs, lorsque ma sœur s'emparait sans ma permission d'un objet qui m'appartenait, je n'avais pas assez de larmes, à mon gré, pour déplorer ces affreux malheurs, oubliés le lendemain.

Avec une indifférence que je ne m'explique aujourd'hui qu'en la retrouvant chez les enfants de l'âge que j'avais alors, je me suis assis pendant dix ans devant une table, soit pour déjeuner, soit pour dîner, sans m'être demandé une seule fois par quelle bonne fortune cette table, à l'heure où j'avais faim, se trouvait garnie d'aliments et de friandises. Tout cela était acheté, je le savais, car je connaissais l'usage de l'argent, ou mieux dit des sous. Les sous, ils me servaient à me procurer des images, des billes, des gâteaux, des couleurs, des crayons, mais je ne m'étais jamais inquiété de savoir d'où on les tirait. Si les grandes personnes en avaient constamment dans leur bourse, cela, pour moi, tenait uniquement à leur qualité de grandes personnes. C'est une des mille illusions que l'âge m'a enlevées, une des erreurs dont m'a débarrassé l'expérience.

Donc, je venais d'accomplir ma dixième année, lorsque mon père, qui se disposait à me châtier pour une faute assez grave, maitrisa brusquement son indignation. Il me déclara qu'il renonçait aux punitions corporelles, pour ne plus s'adresser désormais qu'à mon esprit, à mon cœur, à ma raison. Il me démontra si bien mon tort, — j'avais, abusant de ma force, tiré les cheveux de Léontine, — que je fus honteux de mon action. Je promis de me méfier du mouvement instinctif qui me portait à me faire justice moi-même alors que je me croyais lésé, de le dompter.

Le petit discours de mon père eut ce résultat, de me donner une idée de mon libre arbitre, de l'usage de ma volonté, et le

fameux « Ce n'est pas de ma faute », avec lequel je croyais justifier mes délits, me parut complétement absurde. La réflexion,
bien entendu, ne devint pas du jour au lendemain la règle
absolue de ma conduite, et il m'arriva plus d'une fois encore
d'agir à l'étourdie, de suivre ma première impulsion. Mais, la
faute commise, ma raison me la faisait reconnaître et déplorer.
J'allais bravement m'accuser, manifester mes regrets, mon
repentir. J'obtenais mon pardon et je recueillais une leçon
morale dont les principes se gravaient dans ma tête. Du sauvage
in partibus que j'avais été jusqu'alors, en obéissant à mes mauvais instincts et en étouffant les bons, je devins un être civilisé,
un être qui, renonçant à son féroce égoïsme, commença à respecter les idées, les actions et la propriété des autres.

Je remarquai vite que mon père, réglant sa conduite sur ses
paroles, ne me traitait plus tout à fait comme un enfant, et j'en
fus fier. Dans nos promenades, ce n'étaient plus seulement les
objets que nous rencontrions qui motivaient et accaparaient la
conversation; mon guide me parlait de ses projets pour mon
avenir. Il me voulait instruit et m'engageait à travailler avec
zèle, pour amasser des biens que nul ne pourrait me ravir. Il ne
dédaignait ni le grec ni le latin; mais il souhaitait surtout me
voir apprendre plusieurs langues vivantes. Savoir, encore

savoir, c'était son mot d'ordre. Par malheur il ne me parla jamais du « savoir-faire », sans lequel rien ne vaut; comment, du reste, aurait-il pu me parler d'une chose qu'il ignorait ?

Fils d'une Italienne, mon père goûtait les arts, en particulier

la peinture. Son ambition secrète, c'était, je crois, de me voir devenir un peintre; aussi examinait-il avec soin les bonshommes dont j'illustrais la marge de mes cahiers, encourageant mes essais informes, y cherchant avec ardeur ce que Cimabué trouva chez Giotto.

Le peintre Lepoittevin, alors dans l'apogée de sa gloire, un peu pâlie aujourd'hui, vit quelques-uns des produits de mon

crayon. Il reconnut dans ces œuvres de véritables dispositions, et, huit jours plus tard, on me conduisait au cours de M. Pernot. Quelle joie ! j'allais donc pouvoir, sans que l'on me reprochàt de perdre mon temps, dessiner des bateaux à voiles monstrueuses, des chevaux à oreilles d'âne, des bonshommes à cannes, des arbres échevelés, des chaumières dont les cheminées vomiraient des torrents de fumée en spirales. Je comptais commencer un tableau dès le premier jour, et je me vis placer en face d'un modèle de nez, auquel succéda un modèle d'oreille, puis un modèle d'œil. Le dessin, entendu de cette façon, me parut plus rebutant que l'écriture, et je travaillai sans enthousiasme.

M. Pernot, en peinture comme dans l'art de former des élèves, appartenait à la vieille école, et, à deux ou trois reprises, mes côtes firent connaissance avec son appui-main : une fois parce qu'il me surprit dessinant une poule au lieu d'un nez, une autre pour m'être rendu coupable d'avoir placé une bouche, qui n'existait pas sur le modèle, sous le nez que je copiais. Les coups d'appui-main révoltèrent mon père ; il pria M. Pernot de procéder par le raisonnement. M. Pernot ayant répondu qu'il n'en connaissait pas de plus efficace que son appui-main, je cessai de suivre son cours. Je fus, sous le rapport du dessin, livré de nouveau à mon instinct ; il me ramena droit aux bonshommes à cannes, aux arbres-balais et à la fumée en spirales ; j'y suis encore.

Vers cette époque, durant nos excursions, je remarquai de nouveaux changements dans les allures de mon père. Après d'interminables silences, que je respectais, il m'adressait souvent la parole et me prenait en quelque sorte pour confident. Il me parlait de l'inconstance de la fortune, et me disait de me souvenir que la vie se compose d'amertumes, de déceptions, de soucis, à peine compensés par des éclairs de bonheur. Il me répétait que l'argent, ce roi du monde, roule avec obstination vers de certains hommes, qu'il en fuit d'autres avec une obstination égale, et que pour son malheur, surtout pour le mien, il était de ces derniers. Je ne comprenais ni la justesse ni la portée de ces plaintes, qui cependant se gravaient dans mon esprit, car je les rapprochais de certaines choses que je remarquais au logis. Le nombre des plats diminuait sur la table, en particulier ceux du dessert, et ma mère se plaignait souvent de la cherté des denrées. Elle semblait préoccupée, triste, mon père aussi.

Un matin, tout en m'aidant à procéder à ma toilette, Rose me prit à l'improviste dans ses bras, me pressa à m'étouffer contre sa poitrine, et sanglota. Pleurant de la voir pleurer, je l'interrogeai vite sur la cause de sa peine. Elle m'annonça qu'elle m'aidait à m'habiller pour la dernière fois, qu'elle se mettrait en route le lendemain, pour regagner son pays.

— Mais tu reviendras? m'écriai-je.

Elle secoua négativement la tête.

Je me mis à pleurer pour mon propre compte. Rose partir !

voilà un événement auquel je n'avais jamais songé, que je ne croyais pas possible. Je l'entourai à mon tour de mes bras, et je la conjurai de rester.

— Madame n'a plus besoin de moi, me dit-elle.

Je courus à ma mère. Elle me confirma les paroles de Rose, et je la suppliai de ne pas la laisser partir.

— Je ne le puis pas, me dit ma mère dont deux larmes mouillèrent les yeux, je n'ai plus assez d'argent pour la payer.

Cette déclaration, les larmes de ma mère, celles de Rose, le mot ruine prononcé par mon père dans notre dernière excursion, m'impressionnèrent beaucoup. Je demandai une explication du mot ruine, et j'appris que non-seulement mon père ne possédait plus assez d'argent pour payer Rose, mais que nous allions abandonner la maison que nous occupions, nous rendre à Paris, où mon père espérait trouver un emploi. Bien que j'eusse dix ans, cet ensemble de catastrophes dépassait ma compréhension. Comment pouvait-il se faire que mon père n'eût plus d'argent, puisqu'il était grand? Pourquoi vouloir en donner à Rose? Elle s'en passerait, je m'en portais garant, et j'offris d'aller le lui demander. Ma mère me retint, me dit de laisser mon père régler toutes ces choses, et me recommanda de ne parler à personne des secrets qu'elle venait de me révéler.

Ces secrets, ils oppressèrent mon cœur toute la journée, et ils m'auraient oppressé bien davantage si j'en avais compris toute la tristesse. Pour le moment, leur côté le plus douloureux, c'était le départ de Rose; je ne pouvais accepter cette idée, je n'y croyais qu'à demi. Il me fallut bien y croire tout à fait quand vint l'heure des adieux, et j'embrassai ma bonne avec un véritable désespoir. De son côté, la pauvre fille avait les yeux gonflés; on voyait bien qu'elle n'avait guère dormi. C'était moi, elle le répétait, qu'elle regrettait surtout, et elle le prouva en me recommandant avec naïveté à ma mère. Enfin on emporta sa malle, et elle s'enfuit. D'une fenêtre, je la suis longtemps du regard, elle m'envoie des baisers. Elle est loin, je la vois agiter son mouchoir, puis... plus rien. Je m'agenouille devant mon lit et je sanglote. Léontine, qui vivait beaucoup moins que moi avec Rose, ne partage qu'en partie mon chagrin.

Elle était jolie, Rose, et son nom lui convenait bien. Elle possédait de grands yeux doux, une toute petite bouche garnie de perles, un visage d'un ovale parfait, des traits harmonieux, une fine taille et le teint éclatant d'une blonde. C'étaient là des qualités que j'entendais souvent énumérer, mais auxquelles je n'attachais aucun prix.' Ce que j'aimais en Rose, c'était son égalité d'humeur, sa patience, sa complaisance, son abnégation. Pendant six années, sa vie fut à ma disposition, et mon despotisme enfantin en abusa. Elle était toujours de mon avis, me défendait alors même que j'avais tort, ce qui est le dernier mot de l'amitié; puis comme elle s'entendait à me consoler! Qu'est-elle devenue? Je n'ai plus jamais entendu parler d'elle, et pour-

tant elle devait revenir me voir. Comme je l'aurais accueillie !
comme je l'accueillerais encore ! Depuis que j'ai l'âge de raison,
son silence m'a toujours fait croire qu'il lui est arrivé malheur,
qu'elle est allée résider dans le lointain pays où mon pinson voltige et gazouille, en m'attendant.

Le chagrin que je ressentis de l'absence de Rose trouva un
dérivatif dans l'événement qui avait motivé son départ, la ruine
de mes parents. La ruine ! ce mot si gros de douleurs, de déses-
poirs, je m'y accoutumai vite et j'en arrivai bientôt à trouver
que la ruine avait du bon. On remuait, dans la maison, une
multitude de choses qui, depuis des années, dormaient au fond
des armoires ou des malles, dans les hauteurs du grenier, et
ma curiosité était en éveil. D'un autre côté, si la table comptait
moins de plats, si l'on mangeait sans nappe, s'il me fallait me
déranger pour aider au service, je voyais plutôt là des motifs
d'amusement que des motifs de peine, aller et venir ne me
coûtant rien. Quelle satisfaction d'avoir à remplir une carafe,
à brosser mes habits, à faire mon lit, à cirer mes souliers !
Toutes ces servitudes, que j'avais tant rêvé d'accomplir, me
ravissaient, aucun devoir de classe ne les égalait. Dans mon
zèle pour ces occupations, zèle dont il ne me reste rien aujour-
d'hui, je parlais d'éplucher les légumes et de faire la cuisine. Ces

prétentions m'amenèrent à me heurter contre Léontine, qui
réclama avec décision. Elle voulait sa part de la ruine, et cuisi-
ner devait être son principal lot.

En somme, si nous n'avions vu notre père triste, et notre
mère pleurer lorsqu'elle nous embrassait, le changement de
fortune qui désolait nos parents nous eût à peine tourmentés,
ma sœur et moi. Ce que nous savions de plus clair, c'est que

ruine était synonyme de manque d'argent ; or, à l'heure où mon père parlait de notre heureuse indifférence, qui nous laissait libres de soucis, nous cherchions avec ardeur, Léontine et moi, un moyen de nous procurer des sous.

Pauvre et mendiant signifiant pour nous une même chose, nous nous inquiétâmes de la façon dont les mendiants gagnaient leur vie, prêts à suivre leur méthode. Il y avait les pauvres qui tendaient simplement la main ; mais jamais nous n'aurions osé. Le long du mur de la Préfecture, s'établissait journellement un aveugle à la barbe blanche qui, de temps à autre, soufflait dans une clarinette, pour s'amuser selon moi, pour se réchauffer selon Léontine. Avec une chaise et un gobelet, mon père, en se plaçant le long d'un mur, pourrait donc gagner sa vie et celle de ma mère.

— Mais papa n'est ni vieux ni aveugle, et sa barbe est noire, me dit Léontine, on ne lui donnera rien.

Je courbai la tête, pour la relever bientôt. Mon père avec un orgue et un singe bien habillé pourrait se tirer d'affaire ; quant à moi, ma résolution était prise, je me ferais Savoyard et je montrerais une marmotte. Léontine me confia que, depuis long-temps, son choix était chose réglée : elle serait nourrice. Elle savait pertinemment, par des conversations tenues devant elle

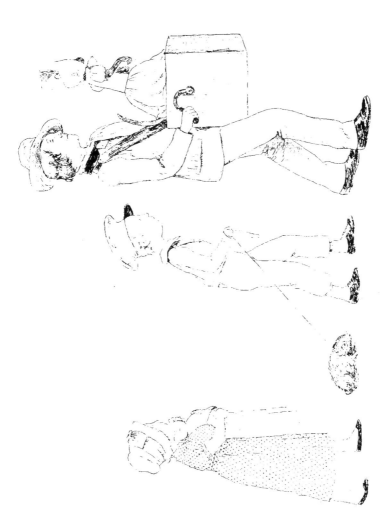

Mon père avec un orgue et un singe.

durant ses visites avec ma mère, qu'une nourrice était mieux payée qu'une femme de chambre, qu'on lui donnait du sucre et du savon.

Ces beaux arrangements bien discutés, bien établis, et surtout d'une exécution facile, attendu que l'on devait pouvoir se procurer facilement des singes, des orgues et des marmottes à Paris, nous crûmes bon de les communiquer à nos parents. Mon père, qui ne riait plus guère, eut une explosion de gaieté.

Il nous embrassa, nous félicita de nos bonnes intentions, puis il nous expliqua que la pauvreté a mille degrés, dont la misère et la mendicité sont les derniers.

— Certes la vie est dure, nous dit-il en nous pressant avec force contre son cœur, vous ne l'expérimenterez que trop; mais tout homme qui sait et peut travailler est presque assuré de gagner son pain quotidien, ce pain que vous demandez à Dieu dans votre prière. Quant à la mendicité, elle n'est excusable que chez les vieillards, les infirmes et...

Nous étions encore trop jeunes pour bien saisir les nuances que notre père essaya de nous faire sentir; aussi, de ses explications, nous conclûmes que les choses n'étaient pas en aussi mauvais état que nous l'avions craint, qu'il ne s'agissait que d'une demi-ruine.

13.

— Dieu aidant, nous avait dit mon père en terminant son
petit discours, j'espère bien, tant que je vivrai, ne vous voir
jamais manquer de pain.

Cette déclaration nous avait satisfaits. C'est très-bon, du pain;
avec du beurre ou des confitures dessus, c'est même excellent.
Seulement, à cause de la ruine, les trous ne seraient probablement plus comblés comme du temps de Rose; nous en prîmes
notre parti.

Un dimanche matin, mon père vint me réveiller de bonne
heure, me conviant à une longue promenade. Il me fit embrasser ma mère, puis Léontine, et nous voilà en route. C'était au
mois de juillet, le ciel n'avait pas de nuages, le soleil éblouissait.
Mon père, plus absorbé que de coutume, avançait silencieux et
répondait à peine à mes questions. Je courais de droite à
gauche, glanant des fleurs, et, au lieu de me laisser comme à
l'ordinaire la bride sur le cou, mon guide m'appelait sans cesse,
me forçait à me tenir près de lui, me recommandait de ne pas
me fatiguer. Nous atteignîmes Ville-d'Avray, où nous déjeu-
nâmes; puis, traversant le parc de Saint-Cloud, nous nous
assimes près de la Lanterne de Diogène, tournés vers Paris.

Je connaissais ce point de vue, et mon père l'examina si longtemps que je lui manifestai le désir de changer de place.

Nous nous assîmes près de la Lanterne de Diogène.

— Es-tu fatigué? me demanda-t-il.

— Non, j'ai à peine couru.

— Te sens-tu capable de marcher jusqu'à Paris?

— Je crois que oui.

— Eh bien, en route!

Mon père avança, mais je demeurai immobile, croyant à une plaisanterie. Mon cœur battait : voir Paris, dont tout le monde parlait à Versailles, dont plusieurs de mes camarades de classe m'avaient raconté des merveilles, c'était un de mes rêves.

— Ne viens-tu pas? s'écria mon père qui s'était arrêté.

— Tu veux te moquer de moi, lui dis-je avec une légère envie de pleurer.

— Non, me répondit-il, nous allons bien réellement à Paris.

Quelles gambades! mon père ne put s'empêcher d'en rire, et je fus heureux de le voir reprendre son gai visage. Je ne me doutais guère qu'il venait de franchir un Rubicon, de dire adieu au passé qui lui avait menti, pour se tourner vers l'avenir. Bientôt je le retrouvai comme autrefois, prêt à me répondre, provoquant ma curiosité. Il me parla de ses projets, de ses espérances, comme si j'eusse été un homme; il avait besoin d'expansion. Par malheur, j'étais encore trop jeune pour m'associer à ses pensées, et les nouveautés qui frappaient mes

regards accaparaient toute mon attention. Ce fut Boulogne,
d'abord, puis Auteuil, puis Passy, qui étaient alors des villages
indépendants. Nous franchissons une grille, et j'apprends, non
sans un certain trouble, que je suis enfin dans Paris.

Nous côtoyons la Seine, et je ne perds pas de vue les bateaux.
C'est drôle, ils ne ressemblent pas du tout à ceux que je sais
dessiner, et c'est dommage pour eux. Le dôme des Invalides
me captive bientôt, non à cause de sa forme, elle est pareille à
celle du dôme de l'église Saint-Louis, de Versailles, mais parce
que je le crois en or massif, comme il convient à une ville aussi
célèbre que Paris. Mon père me désabuse, et la grande ville
perd pour moi de son prestige. Nous longeons les Champs-
Élysées, un ramassis d'arbres rabougris, mal alignés, encadrés
d'affreuses masures, tanières dans lesquelles on pénètre en
descendant des escaliers de terre, où grouillent des enfants à
demi nus. Me voilà sur la place de la Concorde. Oh! ce Paris
de 1838, si distinct de celui d'aujourd'hui, comme il m'apparaît
vivant! Au fait, il mérite bien que je m'attarde, que j'en parle
un peu à mon aise, comme d'un vieil ami qui n'est plus.

Les grandes cités, autrefois, se formaient et s'agrandissaient avec une proverbiale lenteur; elles étaient l'œuvre des siècles, et chacun d'eux, à son passage, les marquait de son cachet particulier. Une fois édifiées, on respectait ces villes jusque dans leurs verrues, pittoresques erreurs qui rattachaient le présent au passé, qui valaient bien l'uniformité moderne. On a changé tout cela. En fait de bâtisses, il nous est venu d'Amérique, ou d'ailleurs, un système nouveau, celui de l'improvisation. Les machines qui abrègent tout, même la vie humaine, façonnent aujourd'hui la pierre, le fer, le marbre comme si ces substances étaient des matières molles. Grâce à la puissance, à l'activité de la vapeur, il semble qu'il n'en coûte plus rien non-seulement de bâtir, mais de démolir pour rebâtir; aussi, toutes les vieilles cités ont fait ou font peau neuve. Comme bourgeois aimant le confortable et mes aises, je ne m'en plains pas; comme artiste, je suis loin d'applaudir. Une chose certaine, c'est que lorsqu'il m'arrive de comparer le Paris encore impré-

gné de moyen âge que j'ai vu en 1838 à celui qui existe
maintenant, je crois rêver ou avoir l'âge de Mathusalem, à
quelques mois près.

La place de la Concorde, ma première admiration lors de
mon arrivée à Paris, était pourtant, même avec les jardins en
contre-bas qui l'encadraient et que l'on a comblés depuis, la
merveille qu'elle est de nos jours. L'église de la Madeleine
s'achevait, l'arc de l'Étoile aussi, et l'obélisque de Louxor,
dépaysé, trônait avec une mélancolie dont il n'a pu guérir sur
son piédestal de granit. Les Tuileries, que les Prussiens ont eu
la joie de voir brûler à une heure néfaste pour notre honneur,
montraient, à l'extrémité de la grande allée de leur jardin,
l'œuvre élégante de Philibert Delorme, le célèbre pavillon de
l'Horloge. Après la disparition des Tuileries, le plus notable
changement qui se soit produit dans ce quartier privilégié, c'est
la transformation des cygnes blancs du grand bassin en cygnes
noirs; mais ces palmipèdes doivent avoir été simplement
changés, et ni l'âge, ni les révolutions, ni le progrès, je me le
figure, ne sont cause de la teinte prise par leur plumage.

Les Parisiens de 1838 avaient un faible : ils se considéraient
— se sont-ils désabusés? — comme les hommes les plus
spirituels de la plus spirituelle nation qui existât, et ils s'éton-

naient naïvement que l'on pût boire, manger, penser, parler
alors que l'on avait eu le malheur de naître à Versailles, en
Perse ou à Carpentras. Une autre de leurs convictions, c'est
que leurs pères, outre cette supériorité intellectuelle, leur avaient
légué une ville sans pareille. Or la place de la Concorde, étant
sans conteste la plus belle place de Paris, se trouvait tout
naturellement qualifiée de plus belle place du monde.

Sur le premier point, les Parisiens se faisaient peut-être un
peu illusion; car il y avait déjà, même avant 1838, des hommes
spirituels un peu partout. Sur le second point je n'ose trop
me prononcer, n'ayant vu de mes yeux qu'un très-petit nombre
des principales villes du globe. Mais sur le troisième il me
semble que les Parisiens avaient raison, et que la place de la
Concorde est, sinon la plus belle, au moins une des plus belles
de notre univers. On pourrait peut-être, à la rigueur, lui opposer
la place d'Armes de Versailles, qui, avec son château, ses
casernes et la perspective de ses longues avenues... N'insistons
pas, Versailles possède le plus beau parc du monde; c'est assez
pour une ville de province.

De la place de la Concorde, mon père me conduit sur le boulevard de la Madeleine, alors bordé de terrains vagues ou en
construction, et me montre un tronçon du boulevard des

Capucines. En vérité, il n'y a pas là matière à éblouir un Versaillais. Cependant, j'admire la hauteur des maisons, celles de
ma ville, à ce point de vue, étant beaucoup plus modestes. Je
remarque qu'entre chaque arbre des boulevards s'ouvre un
trou oblong, fangeux, destiné à recevoir l'eau des pluies, et
aussi à recueillir les piétons distraits ou maladroits. Ces égouts
à découvert sont ingénieux, mais tout aussi primitifs que ceux
de Versailles.

Nous gagnons la rue Saint-Honoré, que mon père me nomme
comme si ce nom devait suffire à provoquer mon enthousiasme.
Là les boutiques, — le mot « magasin » vient à peine de naître,
— montrent leurs devantures étriquées, souillées de boue,
dont les vitres ternes, exiguës, laissent à peine entrevoir l'intérieur. Le luxe des étalages ne brille encore que dans les « ma-
gasins » de la rue Vivienne, la rue des élégances suprêmes, à
cette époque reculée. Dans la rue Saint-Honoré, les maisons
sont encore plus hautes que sur les boulevards, et si rapprochées
que, s'il m'arrive de lever la tête, je ne vois du ciel qu'une raie
grise. Elle n'a pas de trottoirs, cette rue célèbre, et, de même
que dans toutes celles du Paris de cette époque, un noir ruisseau serpente dans sa longueur. Ce ruisseau, les voitures en
faisaient si bien jaillir l'eau fétide, qu'il servait à l'arrosage des

passants et maintenait le sol dans une éternelle humidité. Accoutumé aux larges voies de ma ville natale, à ses blanches maisons et à sa propreté, je trouvai Paris noir, sombre, boueux : opinion d'enfant.

A mesure que nous avançons, la rue Saint-Honoré me semble, avec raison, devenir plus étroite, plus populeuse, et j'ai peine, faute d'habitude, à me tenir en équilibre sur son pavé gras. Je vois passer des *hirondelles* sur lesquelles mon père attire aussitôt mon attention, et dont il m'explique la nouveauté et l'utilité. Ces hirondelles, je me hâte de le dire, ne possédaient rien de commun avec les légers oiseaux peints sur leur caisse. C'étaient des voitures publiques, ancêtres, avec les *tricycles*, de ces omnibus aujourd'hui si nombreux, si commodes et si bien organisés. Dans mon for intérieur, je comparai les *hirondelles* aux *gondoles* qui, avec les célèbres *coucous*, faisaient le service entre Paris et Versailles; ni les unes ni les autres de ces voitures, — je suis juste, — ne méritaient leurs poétiques noms.

En fait de voitures de place, je ne vois guère que les fameux cabriolets que doivent insensiblement remplacer les citadines et les fiacres. Les cabriolets, véhicules des gens pressés, étaient conduits par des cochers en blouse, coiffés de casquettes de loutre, près desquels s'asseyaient voyageurs et voyageuses.

Poussiéreux, éraillés, hauts sur roues, les cabriolets étaient traînés par des chevaux étiques dont, par bonheur, ils ont emporté la race avec eux. En vérité, nos mères étaient des Spartiates pour supporter le contact d'automédons dont le ramage répondait au plumage, qui fumaient des pipes sans tuyaux au nez de la « bourgeoise » ou de la « petite mère ». Sans compter que, le prix de la course n'étant pas tarifé, il fallait, aux heures de pluie, débattre jusqu'au pourboire avant d'être autorisé à se hisser sur la banquette délabrée de ce char antique, incommodément perfectionné. On se plaint de l'urbanité douteuse du cocher moderne, ce gentleman ! S'il montrait son aïeul à ceux qui ne l'ont pas connu, ils reculeraient.

Je vois les halles et leurs immortels piliers, c'est-à-dire de longs et bas hangars dont d'énormes poteaux soutiennent les immenses toits chargés de tuiles, toits moussus, gondolés, croulants, sous lesquels grouille, dans une demi-obscurité, une aristocratie aujourd'hui éteinte. Je veux parler des célèbres « dames des Halles », au teint coloré, au langage épique, aux poings reposant sur les hanches : des hommes sans barbe. Les petits vendeurs sont logés en plein air, autour de la fontaine des Innocents dont nul ne soupçonne la beauté, et dans les bassins de laquelle, — on les a exhaussés depuis, — chacun lave à son aise ses légumes, son visage ou son linge. Autour des piliers, des maisons ventrues, édifices dont l'âge se perd dans la nuit des temps, se tiennent debout par un miracle d'équilibre. Tout ce que je vois est humide, noir, usé, sordide, repoussant. J'oublie vite les splendeurs de la place de la Concorde, et Versailles, sauf les dimensions, la foule et le bruit, me paraît de beaucoup supérieur à sa capitale. Et pourtant, ce Paris de 1838, dont je masque un peu les verrues, passait déjà, les écrits du temps en font foi, pour une des plus belles villes du monde ! Qu'étaient donc les autres, grand Dieu !

Nous défilons, coudoyant et coudoyés, dans des rues aujourd'hui disparues, voies si tortueuses, si étroites que les voitures, en se croisant, forcent les piétons à se réfugier dans les allées, dans les boutiques, entre les bornes placées le long des murs. Partout des fenêtres à guillotine, mesurant avec parcimonie l'air et le jour, partout des murailles grises, lézardées, rongées par une lèpre verte, malades d'humidité. Je suis loin de trouver beaux les Parisiens que je frôle ou qui me bousculent, et les Parisiennes, sur lesquelles j'avais entendu dire que ma mère se modelait, sont pour moi un sujet de surprise. Avec leurs cabas, leurs bonnets de laine, leurs fichus, leurs socs, elles me font l'effet d'un sexe mixte, d'un sexe innomé.

Mon père, qui voulait probablement me donner un idée des contrastes que présentait la grande ville, me ramène en arrière, devant le Louvre inachevé, contre les murailles duquel des bouquinistes, des marchands d'estampes et d'oiseaux ont adossé leurs échoppes. La place du Carrousel me montre sa légendaire maison à neuf étages, ce fameux « hôtel de Nantes » qui, dressé comme une tour féodale en face du palais des rois, a bravé les démolitions du premier empire et n'a disparu que sous le second. L'arc de triomphe du Carrousel, quartier général des moineaux, me plaît et me surprend : une porte cochère au milieu d'une place, alors qu'à Versailles elles servent d'entrée aux maisons! c'est drôle.

Nous gagnons les quais, où la vue de la Seine, encombrée de trains de bois, me captive longtemps. Mon père me fait remarquer l'extérieur de la belle galerie de Henri II; mais je n'ai d'yeux que pour les poivrières du Palais de justice. Leur forme m'intrigue, c'est pour moi une nouveauté. Je traverse la Seine sur le pont Neuf, encombré de tondeurs de chiens à l'œuvre, bordé de pavillons en pierre où sont installés des marchands de briquets et de cirage. Nous voilà devant le Palais de justice, sur une place triangulaire au milieu de laquelle est dressée une haute estrade, — un pilori, — me dit mon père.

Sur ce pilori, des hommes à mine farouche, liés à des poteaux,
regardent insolemment la foule qui les injurie et leur montre le
poing; plusieurs répondent à ces menaces par des mots infâmes,
et crachent sur les insulteurs. Je me presse avec terreur contre
mon guide en apprenant que ce sont là des criminels condamnés
à l' « exposition publique », hideuse peine des vieux âges qui,
du reste, ne sera bientôt plus qu'un souvenir.

Nous traversons la Cité, dédale de rues si étroites qu'il me
semble que je pourrais, en étendant les bras, toucher les maisons qui se font face. Notre-Dame m'apparaît, et me tient bouche
béante, le style gothique étant inconnu à Versailles. C'est en
vain que des échoppes d'un autre âge, ici encore, sont adossées
à la vieille église; elles la déshonorent sans la déparer, tant sa
majesté les écrase.

Je traverse de nouveau la Seine, cette fois sur un pont sus-
pendu, le pont d'Arcole, et me voilà sur la place de Grève, où
s'exécutent les condamnés à mort. Elle est large, irrégulière,
cette place historique, dont l'épaisse boue, — est-ce une illusion? — me semble d'une couleur rougeâtre. Une multitude de
rues ignorées du soleil viennent y aboutir, et l'accès de quel-
ques-unes est défendu aux voitures par des tourniquets, reste
des franchises du vieux temps. L'Hôtel de ville est noir. Du

14

reste, tout est noir à Paris, où depuis que la ville est fondée
nulle bâtisse n'a été blanchie. On déclame souvent contre le
grattage moderne; on a tort, que l'on s'informe près des vieux
Parisiens.

Ma laborieuse promenade me laisse silencieux, et mon père,
qui s'attendait à d'incessantes exclamations, attribue mon
mutisme à la fatigue. Il se trompe, je suis émerveillé, attristé,
ravi, inquiet, ahuri, étourdi par tant de choses nouvelles, et trop
de pensées m'assaillent pour que je songe à en exprimer une
seule. Quand pour la première fois j'ai vu la mer, les chutes du
Niagara et les Cordillères, je suis demeuré muet.

Nous pénétrons dans l'île Saint-Louis. Nous voilà dans une
rue presque déserte, presque silencieuse, où des brins d'herbe
se montrent entre les pavés. Mon cœur se dilate, il me semble
que je viens de rentrer brusquement dans Versailles. Je ne me
trompe qu'à demi, Versailles et l'île Saint-Louis portent une
même empreinte, celle du Roi-Soleil.

En somme, ma première traversée de Paris fut un éblouis-
sement, et aussi une désillusion. J'ignorais encore que l'immense
cité se composait, en réalité, de plusieurs villes juxtaposées,
mais distinctes, et que le quartier des Halles ne ressemblait ni
au Marais, ni à la Chaussée d'Antin, ni au faubourg Saint-

Germain. Je ne connaissais pas non plus le vrai Parisien, encore moins la vraie Parisienne, attendu que ces êtres supérieurs ne s'aventuraient guère dans les régions que je venais de parcourir. De ces mortels choisis, élégants, raffinés, spirituels, gens de loisirs et de plaisirs, Paris en comptait au moins deux mille sur ses sept cent mille habitants. Aujourd'hui, la grande ville a, de plus qu'alors, vingt nouveaux boulevards, de larges rues, des trottoirs, de l'asphalte, du macadam, du pavé de bois, du gaz, des chemins de fer, des omnibus, des tramways, des bateaux-mouches, de l'eau à domicile, des télégraphes électriques, des téléphones, des horloges pneumatiques. Elle a dévoré, en totalité ou en partie : Auteuil, Passy, Grenelle, Vaugirard, en un mot vingt-cinq des villages qui l'environnaient, et le nombre de ses habitants est de deux millions. Combien, parmi cette masse d'hommes, s'en trouve-t-il encore d'assez bien élevés pour donner le ton à l'Europe ? La moyenne du vrai Parisien s'est amoindrie, alors que celle de la Parisienne a centuplé. La raison de cette singularité, c'est que la Parisienne contemporaine naît en province ou à l'étranger, tandis... Où vais-je me perdre ?

Ce Paris qui m'apparut, à moi Versaillais accoutumé aux larges voies baignées de soleil de ma ville natale, si vieux, si sombre, si bruyant, si laid, si étrange, si énorme, si près encore

14.

des siècles passés, voilà que je reste pensif devant l'esquisse si succincte que je viens d'en tracer. En regardant l'ébouissante cité qu'il est devenu, un soupir s'échappe de ma poitrine. Est-ce un regret au passé? à mes illusions mortes? à mon enfance déjà si lointaine qu'elle me semble un rêve? ou est-ce un adieu suprême à la vieille ville disparue? Pourquoi pas? les choses pleurent bien, elles!

CHAPITRE VII

Une petite Parisienne. — Encore le vieux Paris. — Grosses aventures. — Vie nouvelle. — Une entrée dans le monde. — Études de femmes. — Promesse de mariage. — Une joie et un chagrin.

Trois heures de l'après-midi sonnent, ou à peu près, lorsque, marchant sur les talons de mon guide, je pénètre dans une des maisons de l'île Saint-Louis. Là, mon père est bientôt dans les bras d'un de ses amis que je connais pour l'avoir vu à Versailles. Une belle dame, — lisez forte, — m'embrasse et me fait embrasser une petite Parisienne de mon âge qui, avant qu'une demi-heure se soit écoulée, me prouvera la supériorité intellectuelle des habitants de la capitale sur les gens de province, en me donnant impérieusement des ordres auxquels j'obéirai. En attendant, nous nous étudions avec soin, elle pressée contre sa mère, moi tortillant ma coiffure. Quand nos regards se rencontrent, je me hâte de baisser les miens; elle ne m'imite pas, et j'en suis tout rouge.

On nous attendait plus tôt, et l'on se récrie en apprenant que nous sommes venus de Versailles à pied, en faisant des zigzags dans Paris. Madame Chalmin m'examine avec compassion, m'oblige à m'asseoir. Mon père explique que, dans les circonstances douloureuses qu'il traverse, il a besoin de mouvement, de fatigue corporelle, et que m'ayant de bonne heure dressé à la marche, le chemin que nous avons parcouru équivaut à une de nos promenades ordinaires. Il affirme que je sens à peine la fatigue, et je le prouve bientôt en sautant à la corde avec la petite Valentine. Nous faisons trop de bruit, on nous installe à une fenêtre.

Je ne suis pas fâché de cette mesure, car tout m'est encore nouveau dans la grande ville où je viens d'échouer, frêle épave de la mauvaise fortune, et je suis avide de voir. Je regarde passer des hommes et des femmes qui, chargés de hottes, vêtus de haillons répugnants, armés de cannes pourvues d'un crochet à l'une de leurs extrémités, ramassent avec dextérité, sans avoir à se baisser, les mille objets qui souillent la voie publique. Ce sont des chiffonniers qui, sans le savoir, jouissent de l'âge d'or de leur industrie, car la ville est si mal entretenue qu'ils peuvent exercer leur métier à toute heure du jour. Derrière eux

marchent des femmes à jupes courtes, en sabots, pourvues d'éventaires en osier sur lesquels brillent des fourneaux en terre, allumés. Dans la poêle dont ces fourneaux sont surmontés, crépitent des saucisses, des côtelettes, des pommes de terre que les marchandes, renversées en arrière pour maintenir leur équilibre, offrent toutes chaudes aux passants. Défilent ensuite des vendeurs d'habits, de chapeaux, de chansons, de parapluies, de bas, de couverts en métal, de nouvelles illustrées, et, portant deux seaux à l'aide d'un volumineux appareil, des hommes, et même des femmes, vendent de porte en porte l'onde jaunâtre qu'ils ont puisée dans la Seine, et que l'on ne sait pas encore distribuer à domicile. Tout ce monde, au passage, annonce sa marchandise en poussant des cris étranges, dont j'essaye en vain de saisir le sens. Peu à peu, je me persuade que le français qui se parle à Paris n'est pas le même dont on se sert à Versailles; je n'ai pas absolument tort.

Mon père et M. Chalmin sortent, et je reste à enluminer des images avec Valentine. Vient l'heure du dîner, qui, pour mon goût, se prolonge trop. Je me sens si las, si engourdi, que je me demande avec terreur si je pourrai marcher jusqu'à Versailles. Mon père songe enfin à partir. J'embrasse madame Chalmin, qui s'est beaucoup occupée de moi et me dit : A demain. A demain ! elle ne sait donc pas comme c'est loin, de sa maison à la mienne ?

Nous voilà dehors, j'étire mes membres, et je m'apprête à marcher avec vigueur, pour arriver plus vite. Mon père frappe une porte, elle s'ouvre, nous entrons. On nous présente une bougie, une clef, et avant qu'il m'ait été possible de poser une seule question, nous sommes dans une petite chambre où se trouve un grand lit.

— Couche-toi vite, me dit mon père en m'embrassant, tu n'en peux plus.

Me coucher! qu'est-ce que cela veut dire? Vais-je rester seul dans cette maison?

— Et maman, et Léontine? m'écriai-je.

— Elles ne nous attendent pas et dorment depuis long-temps.

— Nous ne retournerons pas aujourd'hui à Versailles?

— Non; ni aujourd'hui, ni demain. Tu es un Parisien désor-mais.

— Et maman, et Léontine?

— Elles partiront au point du jour pour la Normandie; dans un mois elles viendront nous rejoindre.

Ces nouvelles inattendues chassent le sommeil qui appesan-tissait mes paupières, et cent idées contradictoires se pressent, se bousculent dans mon cerveau effaré. Un mois sans voir ma mère, sans voir Léontine! Si j'avais su cela, je ne serais pas parti. J'ai le cœur gros, et, tout en me déshabillant, pour obéir à mon père, je continue à l'interroger.

— Cette maison est donc à nous ? dis-je.

— Elle est à tout le monde, me répond-il ; c'est un hôtel.

— Nous allons vivre ici ?

— Oui, jusqu'à nouvel ordre.

Des larmes coulent sur mes joues, mon père me prend dans ses bras.

— Ne veux-tu pas rester avec moi ? me dit-il avec tendresse.

— Si.

— Alors pourquoi pleures-tu ?

— Je ne sais pas !

Au fond, ma réponse est moins niaise qu'elle le paraît ; je pleure, sans pouvoir l'exprimer par un mot, de me sentir dans l'inconnu. Ville nouvelle, maison nouvelle, visages nouveaux, tout cela me trouble. Puis ceux que j'aime, avec qui j'ai coutume d'habiter, sont là-bas, loin, seuls, et tarderont à venir ! Comment vais-je pouvoir vivre sans ma sœur, sans ma mère ? Je ne crois pas la chose possible, tant elle me semble monstrueuse.

Mon père est couché, et comme je continue à pleurer, il m'ordonne de cesser, de m'étendre près de lui. J'obéis, mais ma pensée alerte s'envole à Versailles. Pauvre Léontine ! comme elle doit avoir peur toute seule dans ma chambre ! Comme elle a dû pleurer de son côté en apprenant que je ne reviendrais pas ! Comme je dois lui manquer, et comme elle me manque ! Je ne savais pas, ce matin, que je l'aimais tant.

Je me suis endormi sans en avoir conscience et je me réveille brusquement, surpris de voir qu'il fait grand jour. Je lève la tête, mon père n'est plus près de moi. Mes regards anxieux font le tour de la chambre, personne. Je saute à bas du lit : les habits, le chapeau, les chaussures de mon père ne sont plus là. Il est parti, je suis abandonné ; quel réveil ! L'histoire tragique du Petit Poucet, à laquelle je ne croyais plus, ressuscite soudain dans mon esprit et achève de me terrifier. Je cours à la fenêtre, j'examine les passants, les gens qui causent sur le seuil des boutiques, et mon désespoir s'accroît. A Versailles, lorsque je regardais par une fenêtre, j'apercevais toujours un visage que je connaissais, au moins de vue. Ici, rien que gens inconnus, des ennemis par conséquent. Je voudrais appeler mon père et je me retiens, dans la crainte de voir apparaître quelque monstre. Je me hâte de m'habiller, et, aveuglé par les larmes, je me tiens près de la fenêtre. A la fin, m'armant de courage, je m'élance dans l'escalier. Une dame que je rencontre s'informe de la cause de mes pleurs, et elle rit lorsqu'elle découvre, à travers mes sanglots qui me font parler d'une façon inintelligible, que je crois mon papa perdu.

— Il n'est pas du tout perdu, me dit-elle; il est allé aux messageries réclamer ses malles, qui devraient être ici depuis hier. Allons, console-toi, tu es trop grand pour pleurer comme si tu avais quatre ans. Reste là, on va faire la chambre.

Là, c'est la porte cochère sous laquelle je m'établis, le cœur bien gros. J'examine pendant une heure les deux extrémités de la rue; rien ne poudroie, rien ne flamboie, et je ne vois rien venir.

— Pourquoi, au lieu de te désoler, ne vas-tu pas attendre ton père chez M. Chalmin? me dit l'hôtelier, qui, à plusieurs reprises, a essayé de calmer mon chagrin.

L'idée me paraît bonne, et me voilà en route pour la maison de M. Chalmin, que je crois pouvoir reconnaître, que je reconnais, mais dans laquelle je n'ose pénétrer. Je marche en droite ligne, et je me trouve devant la Seine, je reviens sur mes pas, et la Seine, à laquelle je suis sûr d'avoir tourné le dos, coule devant moi. Ce phénomène me surprend et m'épouvante, car j'ignore que je suis dans une île.

Toutefois, la vue du fleuve fait naître dans mon âme un rayon consolateur, mon imagination ouvre soudain ses ailes, le futur explorateur s'annonce. Je sais que la Seine passe à Saint-Cloud, c'est là que je l'ai vue pour la première fois. Or, si je pouvais atteindre Saint-Cloud, je serais bientôt à Versailles : je connais deux routes qui y conduisent. Je regarde avec attention couler l'eau ; puis, raisonnant serré, je me dis qu'il me suffit de marcher dans la direction où elle coule pour rejoindre Léontine, pour arriver à mon but.

Je chemine inquiet, car pour la première fois je me trouve seul dans une rue, et il me semble que ceux que je rencontre me regardent. Aller seul dans la rue ! c'était une de mes ambitions secrètes, un rêve souvent caressé, un bonheur que l'on ne m'avait jamais accordé, et voilà que je voudrais bien ne pas le goûter. Que de choses, longtemps convoitées, n'ont plus de charme aussitôt qu'on les possède ! Que de fois j'ai maudit les vigilants regards de Rose, qui s'obstinait à ne jamais me perdre de vue, et que ne donnerais-je pas, en ce moment, pour les voir, ces doux regards, me suivre et me protéger !

Il doit y avoir sur mon visage, ou plutôt dans mon allure, quelque signe révélateur des angoisses auxquelles je suis en proie, car les passants se retournent pour m'examiner. Tout à coup un jeune garçon m'accoste, marche à mon côté. Il est mal vêtu, mal peigné, mal lavé, et me dépasse de la tête.

— Dis donc, *zig*, où cours-tu si vite ? me demande-t-il.

— Je vais chez nous, monsieur, dis-je du ton de l'agneau interpellé par le loup.

— Où est-il, ton chez nous?

— A Versailles.

Mon interlocuteur me regarde en face, ferme un œil et s'écrie :

— Quelle *colle!* Dis donc, *nabot,* as-tu du métal?

Je ne réponds pas, faute de comprendre, et je presse le pas, haletant. Le loup, brusquement, me barre le passage.

— As-tu de l'argent? demande-t-il.

— Oui, répondis-je avec candeur.

— Combien ?

— Quatre sous.

— Que l'on t'a chargé de me remettre : *aboule*.

Il prononce ce dernier mot, qui m'est aussi inconnu que ceux de *zig*, de *nabot* et de *colle*, en tendant sa main.

— *Aboule*, répète-t-il.

Je n'aboule pas. Ces quatre sous, ils doivent me servir à me procurer du pain pour mon déjeuner lorsque je serai à Saint-Cloud, j'y ai songé avant de me mettre en route.

L'honnête gamin de Paris, qui a quatorze ans au moins, se met en devoir de me fouiller, et je commence à pleurer, tout bas, afin de ne pas attirer l'attention des passants, alors que je devrais faire le contraire. Heurté, bousculé, menacé, je prends ma course et rebrousse chemin. J'atteins le pont, et, plein de terreur, je me sens saisi par le bras. Celui qui m'a saisi, ce n'est pas le loup, c'est mon père auquel je me cramponne éploré. Il me ramène vers l'hôtel, suivi d'un commissionnaire chargé de malles. Il m'interroge alors, et je lui raconte mes terreurs, ma conviction d'être abandonné, ma résolution de me rendre à Saint-Cloud, mon aventure. Ma décision ne paraît pas le fâcher, car il m'embrasse tout en me grondant avec douceur de ce qu'il nomme mes folles idées. Il m'explique que l'adresse fixée sur les malles ayant été arrachée, il a fallu des pourparlers sans nombre pour obtenir la livraison de nos effets. Il est resté deux heures là où il croyait passer dix minutes, et il regrette de ne m'avoir pas emmené. Je lui demande avec effroi s'il compte me laisser souvent seul, et sur son affirmation que ce fait ne se renouvellera pas, je me rassure un peu. Je me rassure même plus que je ne devrais, en songeant que je sais comment trouver Saint-Cloud, puis Versailles, et que la Seine est un meilleur guide encore que les immortels cailloux du Petit Poucet.

Pendant les deux premiers mois qui suivent mon arrivée à Paris, je mène une vie tant soit peu aventureuse et vagabonde. Cette existence, sans tâche journalière obligatoire, serait loin de me paraître désagréable si ma mère et ma sœur n'étaient absentes, si je pouvais m'empêcher de penser à elles. Un matin, je reçois avec émotion une longue lettre de Léontine; elle me raconte ses promenades dans les bois, me parle de vendange, de fours à chaux qui brûlent nuit et jour, de paysannes qui se coiffent de bonnets de coton, de récoltes de pommes de terre. Je riposte en lui décrivant Paris, que j'apprends à connaître dans l'unique but de le lui montrer lorsqu'elle viendra. Notre *post-scriptum* est le même : nous voudrions bien nous revoir, et ce vœu est sincère des deux côtés. C'est que nos petites querelles sont oubliées, nous ne pensons qu'à notre mutuelle affection. Nous n'avons pas encore l'âge, — on l'appelle de raison ! — où les paroles échangées dans les discussions font de doulou-

15

reuses et parfois incurables blessures ; les nuages qui ont si
souvent envahi notre ciel ont été emportés par le vent, sans
laisser de traces.

En attendant l'heure où il aura reconstruit son foyer, je dé-
jeune chaque matin avec mon père, puis, le plus souvent, il me
dépose chez madame Chalmin. Là, j'aide la petite Valentine,
avec laquelle je me suis apprivoisé, à jouer et aussi à confectionner ses devoirs. Sa mère, le jeudi, nous conduit au Jardin
des Plantes, et je vois enfin, autrement qu'en peinture, ces
lions, ces tigres, ces éléphants, ces girafes auxquels j'ai fait une
si rude guerre dans le pays des grands Namaquois. En vérité,
j'admire presque mon courage d'avoir osé lutter contre de pareilles bêtes ; maintenant que je les ai vues face à face, je ne
m'y risquerais peut-être pas.

De temps à autre, mon père me consacre quelques heures et
me fait connaître Paris. Je visite le Louvre, les églises, le Mu-
séum, les Invalides, le Musée d'artillerie. Grâce au guide qui
m'accompagne et me communique son enthousiasme pour les
arts, j'apprécie peu à peu non-seulement Paris, mais les richesses
qu'il renferme. La lecture devient aussi un de mes passe-temps ;
je n'ai pas perdu de vue que je veux être auteur, que j'ai commencé une tragédie ; à titre d'étude, je dévore les livres de ma-

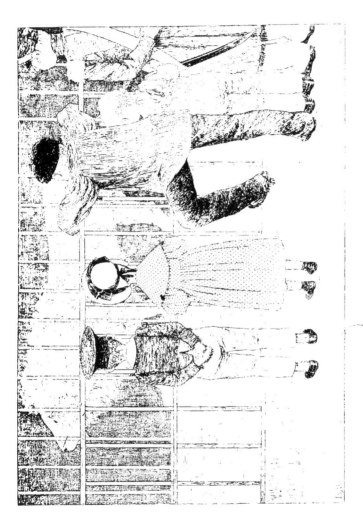

Au Jardin des Plantes

15.

dame Leprince de Beaumont, qui forment la bibliothèque de Valentine.

Un jour, en arrivant chez elle, j'aperçois Valentine en grandissime toilette. C'est l'anniversaire de sa naissance, toutes ses petites amies vont venir la visiter, et l'on fera un repas aux gâteaux et au sirop. On aura la jouissance exclusive du salon et de la salle à manger; car madame Chalmin veut que l'on s'amuse, et elle sait que, pour s'amuser, les enfants ont besoin d'être libres.

Mon père, aussitôt, m'accable de recommandations; il me prie de ne pas oublier un seul instant que je ne suis pas chez moi, et que mon devoir, pour reconnaître l'hospitalité que l'on m'accorde, est de me montrer aimable, complaisant, de soumettre ma volonté à celle de toutes les jeunes personnes qui composeront la réunion. Je l'écoute, je lui promets de ne négliger aucun de ses avis; puis, par une conclusion inattendue, je le supplie de m'emmener avec lui. Cette demande le surprend.

— Es-tu donc fâché avec Valentine? me dit-il.

— Non, père; mais emmène-moi tout de même.

— Pourquoi?

Je ne sais que répondre. Il en coûte à mon amour-propre d'avouer que la perspective d'être seul à représenter mon sexe

au milieu de l'essaim de jeunes personnes que j'ai entendu
énumérer, me fait peur d'avance. Mon père blâme mon caprice,
part, et je dois me résigner.

Valentine a mon âge, et, dès le jour de mon arrivée, elle a
complétement pris possession de moi. Quand nous enluminons
des images, c'est elle qui manie le pinceau, c'est moi qui nettoie
les godets. Quand nous jouons à la dînette, elle est la maîtresse
de maison et moi l'invité. Lorsque je suis censé son mari, elle
me charge de paquets. Valentine est jolie, vive, capricieuse,
despote. Au fond, elle a tous les instincts dominateurs de la
femme de Paris qui, alors même qu'elle n'a pas la beauté, se sait
reine par la grâce, et je porte volontiers son joug. Mais les autres
Parisiennes qui vont venir, elles voudront aussi me comman-
der! Ah! si c'étaient des Versaillaises, des amies de Léontine,
je sais comment on les traite, celles-là!

Pendant l'attente de l'arrivée de ses invitées, Valentine décide
que nous allons agir en gens du monde, et me nomme son valet
de chambre. Je me tiendrai près de la porte du salon, et j'an-
noncerai les jeunes personnes qui se montreront, ainsi que le
fait la bonne lorsqu'il se présente une visite pour madame
Chalmin. J'accepte sans révolte ce rôle subalterne; j'aime
mieux, pour le moment, siéger à l'antichambre qu'au salon. Je

verrai passer les jeunes Parisiennes et n'aurai pas à les saluer, à leur parler; cela me soulage.

On sonne, je suis à mon poste. Deux sœurs arrivent; l'une a bien dix ans, l'autre douze.

— Mademoiselle Marthe et mademoiselle Marguerite, me souffle la bonne, qui est au courant du programme.

J'annonce, et bientôt j'ai à nommer mesdemoiselles Louise,

Armande, Agathe, Julie, Blanche, Augustine, etc., etc. On est au complet, Valentine me rappelle au salon.

J'y pénètre poussé par la bonne, rouge, gauche, le cœur battant. On gazouillait à ne pas s'entendre, et voilà qu'un silence profond s'établit. Vingt-quatre yeux environ, bruns, gris, noirs, azurés, doux, perçants, langoureux, profonds, rieurs, me contemplent; je voudrais être souris et trouver un trou. Je m'arrête près d'une table sur laquelle, d'un doigt tremblant, je trace des lignes invisibles. On chuchote, j'ai les yeux baissés, mais je devine bien que l'on s'occupe de moi. Valentine raconte en effet que je suis le fils d'un ami de son papa, que je suis de Versailles. Cette dernière révélation produit un mouvement de curiosité; les fillettes de huit ans s'approchent, tournent autour de moi pour me mieux voir. Les grandes, — la plus âgée à treize ans, — continuent à chuchoter sans me perdre de vue; puis elles rient. Si j'osais bouger, je gagnerais la porte et je m'en irais à mon hôtel, au risque d'être grondé. Je sens avec rage que, si l'on persiste à me regarder, mes larmes vont déborder : comme c'est cruel, les femmes!

— Est-ce que l'on ne va pas jouer à quelque chose? demande une petite fille lasse de tourner autour de moi.

Cette phrase équivaut au coup de baguette des féeries; on se

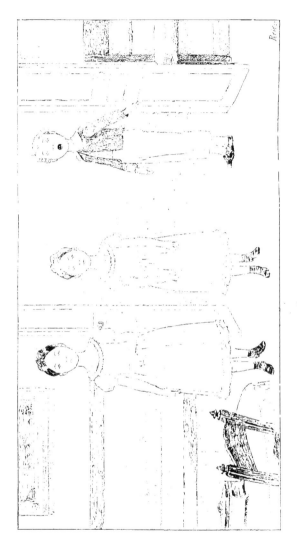

— Mademoiselle Marthe et mademoiselle Marguerite, me souffle la bonne.

lève, on secoue les plis des robes, et bientôt vingt jeux sont proposés. On choisit le « chat perché », mais on ne montera pas sur les chaises, que l'on pourrait abîmer, on se contentera de s'asseoir de façon que les pieds ne touchent pas le parquet. A l'unanimité, on déclare que c'est moi qui le « suis »; cela signifie, en français de grande personne, que je n'aurai le droit de me percher qu'après avoir touché de la main quelqu'un qui ne le « soit pas ».

Le jeu commence, froid, sérieux, silencieux, solennel. On marche au lieu de courir, on me provoque de loin, à mi-voix, timidement, cérémonieusement. Peu à peu, la partie s'anime; on se déplace à la fois, on se pousse, on se dispute le même siège, on rit. Bientôt les voix s'échauffent, retentissent harmonieuses; on m'interpelle par mon nom, et je rends la pareille. Je prends, je suis pris, alternative par laquelle nous passons tous, et les éclats de rire, bruyants, sonores, mêlent leurs grelots aux sons argentins. A la fin, toutes les amies de Valentine me tutoient, et je les tutoie toutes. Comment ce phénomène s'est-il produit? aucune des jeunes personnes présentes ne saurait le dire. Je le sais, moi; une petite brune au regard décidé, aux gestes vifs, à l'esprit plus vif encore, et qui se réfugiait de préférence derrière moi, a soudain commencé.

— C'est pour te mettre à l'aise, m'a-t-elle murmuré à l'oreille
en me poussant du coude.

Et toutes l'ont imitée, mues sans doute par le même sentiment : comme c'est compatissant, les femmes !

Je n'ai plus envie de m'en aller, et, dans un moment où le
jeu a cessé, où l'on reprend haleine, il me vient à l'idée de me
livrer à des exercices que ma sœur et ses amies qualifiaient
généreusement de tours de force, et qui me valaient leurs bravos. Ils ne sont pas très-forts, mes tours, mais ce sont jeux
de garçons, nouveaux par conséquent, et ils intéressent la société. Je me sens admiré; je multiplie aussitôt mes culbutes,
puis j'imite la voix et la danse de Polichinelle, j'exécute les
sauts d'Arlequin, je travaille inconsciemment pour Colombine.
Elle me trouve très-gentil, très-fort, très-adroit : comme c'est
facile à éblouir, les femmes !

L'heure du goûter est venue, et, encore sous le charme de mes
exercices, chacune des jeunes personnes, sans le dissimuler, veut
être à table à côté de moi. Quelques propos aigres s'échangent,
les prunelles s'allument, les lèvres se pincent, les joues pâlissent
ou rougissent, selon les tempéraments; on va se quereller.

— Qu'il choisisse, dit la brunette dont, je ne sais pourquoi,
le regard oblige mes paupières à se baisser.

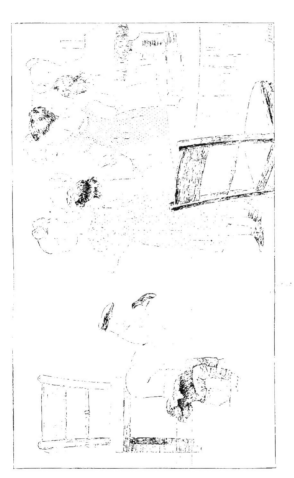

Mes tours intéressent la société.

Tout le monde applaudit, moi excepté. Je sens renaître mon embarras de la première heure en voyant se presser autour de moi de petites bouches roses, entr'ouvertes, anxieuses; de grands yeux qui étincellent interrogateurs, impérieux, suppliants. On se pousse afin de se placer au premier rang, et, au ton dont on se dit : « Pardon, mademoiselle, c'est ma place », je pressens que mon choix va me faire une amie à toute épreuve, mais aussi une légion de terribles ennemies. Je refuse d'affliger personne, et je propose un expédient d'écolier, celui de tirer au sort. Oh! la bonne idée! elle va ménager tous les amours-propres, toutes les susceptibilités, me sauver de l'implacable rancune des Minerves et des Junons.

Les noms sont inscrits sur des bulletins, et Valentine, d'une voix trempée de larmes, se voit forcée d'appeler Agathe, la brunette, qui s'élance joyeuse et m'embrasse pour me mieux témoigner son contentement. Elle se place à ma droite, et Augustine, rouge de plaisir en entendant son nom, se place à ma gauche. Des contestations s'élèvent; il y a quelques brouilles; quel mauvais vent a donc soudain soufflé? Valentine, qui s'assied en face de moi, est sérieuse et semble avoir envie de pleurer. Je comprends enfin : comme c'est jaloux, les femmes!

Après le goûter, qui est vite expédié, les humeurs se montrent

plus traitables, je suis redevenu un bien commun. Mais me
voilà perplexe : Valentine, en passant près de moi, me déclare
à mi-voix que si je cause encore une seule fois avec Agathe,
elle, Valentine, ne me parlera plus jamais. Je suis ahuri ; comment ne pas causer avec Agathe qui, il y a un moment, a voulu
me faire promettre de ne me marier qu'avec elle? Je n'ai
répondu ni oui ni non, j'avais déjà reçu une proposition du
même genre de la part d'Armande, qui me paraît d'autant plus
séduisante qu'elle me dépasse du front. Puis voilà qu'Augustine s'en mêle, et qu'elle veut un serment. Je m'excuse, elle
fond en larmes, et, pour expliquer ses pleurs, elle déclare
que je lui ai fait mal en la poussant. Je n'en reviens pas ; comment ai-je pu la pousser sans m'en apercevoir? Alors que je me
rapproche d'elle pour la consoler, Valentine se laisse choir, et
c'est à elle qu'il me faut porter secours. En songeant aujour-
d'hui à ce passé, auquel je ne compris rien sur l'heure, je ne
puis m'empêcher de dire : Comme c'est malin, les femmes !

Je ne compris rien aux petits drames dont j'étais l'innocente
cause, et j'en rends grâces à qui de droit. Mon succès inattendu,
qui venait non de mon mérite, ni de ma beauté, ni de ma force,
mais de ce que j'étais le seul représentant de mon sexe dans
cette réunion de femmes minuscules, eût pu me tourner à

Je propose un expédient d'écolier, celui de tirer au sort.

jamais la tête. J'aurais pu prendre pour argent comptant ce qui n'était, chez toutes ces honnêtes jeunes personnes, que coquet-terie instinctive, rivalité d'amour-propre ou naïveté, et me croire un de ces irrésistibles conquérants dont l'histoire nous a

conservé le nom, en nous cachant leurs défaites. Quand vint l'heure de se séparer, j'eus à subir un dernier assaut ; on me pressa pour me faire dire qui j'aimais le mieux. Je n'hésitai pas à déclarer que c'était Valentine, que je connaissais depuis plus

16.

longtemps. Cet aveu me valut une moue générale, d'une ironie
écrasante : comme elles font peu de cas de la fidélité, les
femmes !

J'ai tort, car Valentine me sut gré de ma déclaration. Elle
me promit, comme récompense du triomphe que je lui avais
procuré, comme indemnité des haines que j'avais soulevées,
de devenir un jour ma femme. Pour être plus sûre de tenir sa
parole, elle me fit jurer que je serais son mari, le plus tôt possible. Hélas ! nous nous sommes perdus de vue vers notre
douzième année, il y a de cela quarante ans. Dans mes heures
de mélancolie, je me demande parfois, non sans appréhension,
si, plus fidèle que moi, l'infortunée ne languit pas dans quelque
coin, m'attendant toujours.

Une semaine après ces graves événements, mon père me conduit sur le quai de la Ferraille. Là, comme au temps où Florian
publia sa fable de l'*Habit d'Arlequin,* je vois vendre des oiseaux,
des hommes et des fleurs. Et pourtant, cinquante années se sont
écoulées depuis cette époque ; la grande Révolution a bouleversé la France, la Terreur l'a ensanglantée, puis sont venus
l'Empire, la Restauration, la monarchie de Juillet. Les idées se
sont transformées, dit-on, et pourtant, la remarque, bien
entendu, est de mon père, on continue à vendre sur le quai de

la Ferraille, en 1838 comme en 1792, de la quincaillerie, des oiseaux, des remplaçants militaires et des fleurs.

Lorsque nous avons quitté l'hôtel de l'île Saint-Louis, mon père, d'un ton joyeux, m'a prévenu que j'allais avoir une surprise. Nous pénétrons dans une maison, et je crois rêver en revoyant les meubles de notre salle à manger, ceux de la chambre à coucher de ma mère, puis, dans un cabinet, mon lit. Mon père a ouvert une fenêtre et semble guetter avec impatience. Soudain il se précipite vers la porte, et ma mère paraît. Quels embrassements! ils me font découvrir que la joie est comme le chagrin, elle fait pleurer.

Aussitôt que je puis parler, je demande Léontine.

— Elle est à Houdan, me répond ma mère.

— Pourquoi ne l'as-tu pas ramenée?

— Elle a voulu rester près de ta petite sœur; mais elle viendra bientôt.

J'ouvre des yeux pleins d'interrogations, et j'apprends que ma mère, en passant à Pontchartrain, a fait l'acquisition d'une petite fille qu'elle a mise en nourrice, jusqu'à nouvel ordre. En attendant qu'elle me soit présentée, je dois aimer cette nouvelle sœur, qui elle aussi m'aimera, et que j'aurai à protéger plus tard. Je ne crois qu'à demi à cette histoire étrange, je n'y crois

même pas du tout, et ce sera pour moi une véritable surprise
quand, deux ans plus tard, la petite Maria débarquera à Paris
et fera son apparition dans la maison paternelle.

Au bras de mon père, ma mère, qui paraît languissante, par-
court le logement exigu qui sera désormais son chez elle. Elle
en approuve l'ordonnance générale, critique en ménagère
experte quelques détails, indique plusieurs modifications. Vite
lasse, elle s'assied près de la fenêtre, dans un fauteuil, puis, les
yeux à demi clos, elle regarde les épaves qu'emporte la Seine.
Je me suis établi à ses pieds, je l'interroge de nouveau sur Léontine, et elle me répète que ma sœur reviendra bientôt. Cette
absence m'attriste, deux larmes mouillent mes yeux. Comme
elles déborderaient, ces larmes, si je savais que ma mère se
trompe, que Léontine ne connaîtra jamais Paris, que son
absence doit durer toujours!

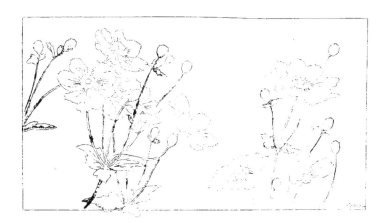

CHAPITRE VIII

J'ai enfin un « chez nous ». Je ne me mets pas en peine de savoir s'il est plus beau, plus laid ou moins commode que l'ancien, ces détails me sont indifférents. Ce que je constate, c'est qu'il possède nombre de précieuses qualités. D'abord, il est nouveau; puis, en se plaçant près de l'une de ses fenêtres, on voit passer des gens, des voitures, des bateaux, et l'on participe aux émotions des pêcheurs à la ligne. Il me paraît amusant, ce métier de pêcheur, et je compte bien l'exercer plus tard.

Un soir, après le dîner, mon père me prend sur ses genoux.

bien que je sois déjà lourd. Il me rappelle que j'ai dix ans passés, et il ne doute pas que les malheurs dont je l'ai vu accablé
n'aient mûri ma raison. J'ai compris, il en doute encore moins,
qu'il me faut désormais travailler avec ardeur, étudier avec
une application soutenue. Il ne veut plus me traiter en enfant,
il me l'a dit déjà, il veut me traiter en homme. Cette déclaration plaît à mon amour-propre ; toutefois, je ne mérite qu'à demi
les éloges qui me sont adressés, ils gênent ma franchise. Dans
les transformations accomplies autour de moi, je n'ai vu, en
somme, que des côtés assez agréables : inventaire des armoires,
des malles, du grenier, puis le voyage à Paris. Il y a bien des
points douloureux, le départ de Rose et l'absence de Léontine ;
mais elles doivent revenir, et, pour prendre patience, j'ai la
ressource de regarder couler la Seine, de voir passer des
bateaux, des trains de bois, de voir, de loin en loin, frétiller un
goujon à l'extrémité d'une ligne. Ces vérités, j'ai acquis assez
d'expérience pour ne pas les révéler, pour écouter ce qui m'est
dit sans faire d'objections.

Mon père insiste sur la nécessité de m'instruire. Il ne parle
plus de m'envoyer à Rome, à Londres, à Madrid pour me
familiariser avec l'italien, l'anglais et l'espagnol. La fortune l'a
trahi, elle a renversé ses projets, effacé ses rêves, détruit ses

espérances. Il compte la ressaisir, cette fortune inconstante ; en attendant, je dois, comme lui, travailler résolûment, courageusement.

Mon père me parle avec gravité ; ma mère, placée près de lui, a les yeux humides, c'est ce point seulement qui m'émeut. Quant au reste, ma raison est loin encore d'être assez mûre pour me permettre de comprendre le chagrin intime de mes parents, leurs inquiétudes en face de l'avenir. J'ai la conviction que s'ils voulaient regarder comme moi passer les bateaux, ils seraient vite consolés.

La fin du discours de mon père est pour m'annoncer que, le lendemain, il me conduira dans un pensionnat. J'aurai à m'y rendre et à en revenir seul, il me recommande d'avance de ne jamais m'attarder durant le trajet. Il m'apprend qu'il me faudra seconder ma mère, dont la santé est altérée, dans ses travaux intérieurs, sans jamais négliger mes devoirs de classe, qui doivent passer avant tout.

Une nouvelle vie commence, et je m'y plie avec la philosophique insouciance qui caractérise les hommes de dix ans. Il ne me déplaît pas d'avoir à nettoyer ma chambre, à prendre soin de mes effets, à seconder ma mère, à me rendre seul à ma pension. Dans cet établissement, je me trouve avec des enfants qui,

je le remarque vite, n'agissent pas, ne parlent pas, ne pensent
pas comme mes anciens camarades de l'institution F... Là-bas,
on était fils d'officier, d'employé, de rentier, de propriétaire;
chez M. Jouan, on est fils de menuisier, de serrurier, de relieur,
de pâtissier, de boucher ou d'épicier. Je ne me plains pas, car
plusieurs de mes nouveaux camarades, dont la demeure se
trouve sur ma route, me font entrer chez eux au sortir de la
classe, pour me montrer leurs « affaires ». Je vois du même
coup, spectacle qui m'instruit, tantôt raboter des planches,
relier des livres, sculpter de l'albâtre, pétrir de la pâte ou battre
du fer rouge. Je m'attarde parfois dans ces contemplations, car
les outils dont se servent les ouvriers, et les transformations
qu'ils font subir aux matières premières, piquent vivement ma
curiosité. Rien au monde, je crois, ne captive plus un enfant de
dix ans que des artisans à l'œuvre, et nombre d'hommes, sur ce
point, restent toujours enfants.

J'ai reçu de mon père l'ordre impératif de ne me lier en classe
qu'avec les bons élèves, avec ceux qui sont assidus au travail,
dont la bonne conduite est attestée par les médailles ou les
croix qu'ils portent. J'obéis le plus que je peux; mais, dans les
pensionnats, ce n'est pas comme dans le monde, où, paraît-il,
ce sont les plus intelligents, les plus méritants qui sont récom-

pensés, décorés. Samuel, par exemple, est paré d'une médaille d'honneur, et semble y avoir droit. Grave, il ne rit ni ne joue jamais, même à l'heure de la récréation, et son sérieux m'in-

spire un certain respect. Peu à peu, en cherchant à conquérir les bonnes grâces de Samuel, je découvre le secret de la gravité qui lui a valu la plus honorable des récompenses; il est si sot, le pauvre garçon, qu'il ne sait pas même remuer. Je renonce à l'imiter, moi qui n'ai jamais pu tenir en place.

Renaud m'attire vite, il est le contraire de Samuel. Il organise les jeux, en invente, prête ses affaires, les donne. Il accomplit strictement ses devoirs, mais il n'est pas décoré, il rit trop. Il forme une troupe de gladiateurs, et me nomme d'emblée son second. Comment refuser un pareil honneur? mon père lui-même l'accepterait. Une troupe rivale surgit, nous prend nos poses, nos exercices. Pendant une récréation, les deux chefs s'injurient, se défient, se saisissent, luttent, et nous en venons tous aux mains. Quelle bataille! le sang coula de plusieurs nez, de plusieurs oreilles, et, pour ma part, je me retirai du combat avec une joue enflée. Un professeur laissa la victoire indécise en condamnant Gaulois et Germains à se loger dans la mémoire trois pages de *Télémaque*; mais comme on s'était défendu!

Le soir, ma joue enflée, que mon père prend d'abord pour une fluxion, m'attire une suite d'interrogations. La vérité est assez honorable pour que je ne la déguise pas, et je reçois l'ordre de cesser tout rapport avec Renaud, d'en revenir aux personnes décorées. Je me lie, pour obéir, avec un élève qui vient de conquérir la médaille de Samuel. Vaton était un silencieux; il écoutait avec une attention profonde les explications des professeurs, et pensait à toute autre chose. Penché sur ses livres, il semblait absorbé par ses leçons, toujours mal sues pourtant.

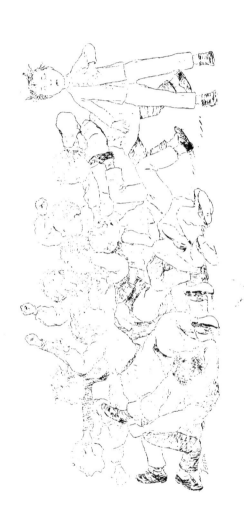

Le sang coula de plusieurs nez

On célébrait son application, on déplorait sa mauvaise mémoire, qui, disait-on, rendait sa bonne volonté vaine, mais il fallait lui savoir gré de ses efforts, encourager son application. Vaton, je le remarque, accueille avec joie mes avances; puis, lorsqu'il me croit bien à lui, il me conseille de vider les encriers sur les livres oubliés par nos condisciples, de balafrer les cartes qui ornent les murs, de m'attaquer aux murs eux-mêmes soit avec la plume, le crayon ou un clou. Ces gentillesses, qu'il pratique en cachette et qui attirent les foudres de M. Jouan sur de malheureux innocents, me font prendre en horreur l'hypocrite. Me voilà fixé sur la vanité des décorations, qui vont d'elles-mêmes aux sots, aux intrigants, aux tartufes. Sur ce point, mon jugement eût été à jamais faussé, sans Lambert.

Lambert était pâtissier, ou plutôt c'est son père qui exerçait cette profession. Lambert était une nature fine, vive, franche, bonne. Il adorait lire, et, dans une composition de style, il fut un jour premier et moi second. Nous prîmes la résolution de garder ces places, et nous travaillâmes en conséquence. L'accomplissement passionné d'un devoir conduit à n'en plus négliger aucun, et nous devînmes de bons élèves. Nous étions peut-être les plus bruyants aux heures de récréation, et certainement les plus appliqués aux heures de classe. Lambert me confia qu'il voulait être poëte, je lui avouai que c'était aussi mon intention, que j'avais même commencé une tragédie. Cette communauté d'aspirations nous rendit rivaux, mais inséparables, phénomène dont on trouve quelques exemples dans l'antiquité.

Un professeur remarqua le travail assidu de Lambert et même le mien; aussi, un premier du mois, Lambert se vit décoré. Je fus heureux du succès de mon ami, heureux surtout de voir enfin une croix récompenser le véritable mérite. A la longue, une chose me surprit, mon travail était aussi soutenu que celui de Lambert, ma conduite exactement modelée sur la sienne, pourtant jamais une des croix de la pension Jouan ne tomba sur ma poitrine. Cette injustice apparente avait une autre cause que celle de ma mauvaise chance, à laquelle je l'imputais. Cette cause, je la connus plus tard, et elle me consola de mes mécomptes : je ne payais que demi-pension, on tenait donc médiocrement à ma personne, et mes parents n'avaient pas besoin d'être encouragés.

L'époque des vacances arriva. Il avait été question de m'envoyer en Normandie, d'où je devais ramener Léontine. Ce voyage fut ajourné par une raison que mon père me confia avec tristesse; il exigeait une trop grosse dépense. Je m'en consolai en travaillant au grand poëme que j'avais entrepris sur la mort de Napoléon. Lambert, que je voyais souvent, confectionnait un recueil de chansons, genre Béranger. Le succès, la popularité de ce poëte, dont le peuple lui-même chantait les vers, empêchaient litéralement mon ami de dormir. Que valent donc les suffrages de nos contemporains ? De son vivant, on a fait croire à Béranger qu'il était immortel, et voilà que la génération née à l'heure de sa gloire sait à peine son nom, qu'elle s'étonne de lui voir dresser une statue ! La terre, comme le ciel, a des étoiles filantes.

Bientôt, chaque soir, Lambert vint me soumettre son travail de la journée, et prendre connaissance du mien. Comme nous épluchions nos rimes ! Racine et Boileau n'étaient pas plus rigides. Mon ami trouvait mes vers longs, je trouvais les siens un peu courts, et nous prenions une moyenne. O nos chefs-d'œuvre ! que sont-ils devenus ?

Un moment, je dois l'avouer, ma carrière littéraire faillit dévier : voici les faits.

Satisfait de mes notes de classe, de mon assiduité à l'étude de mes leçons, aussi bien que de ma conduite intérieure et extérieure, mon père, pour me récompenser d'une part et pour me dédommager de l'autre de mon voyage avorté, me conduisit au Cirque. Or, le Cirque, à cette époque lointaine, vivait pres-

que exclusivement de la réputation d'un clown merveilleux.
Jamais ne s'était vu pareille agilité, pareille souplesse, pareille
grâce, pareille force, pareille légèreté. On vendait partout la

biographie de cet homme aussi habile équilibriste qu'habile
jongleur ou habile écuyer. Le récit des tours périlleux qu'il
exécutait, avec une aisance qui éloignait toute idée de danger,
était sur toutes les lèvres, et ses portraits, lithographies, médailles, bustes, statues ornaient la vitrine de tous les libraires,

de tous les marchands d'estampes ou d'objets d'art. Cet homme, qui a été plus populaire que ne l'est aujourd'hui Victor Hugo, quelqu'un sait-il encore son nom en dehors des hommes âgés de dix ans en 1838? O vanité de la gloire! nous parlions sans cesse d'immortalité alors que nous savons, à peu de chose près, de combien d'heures elle se compose.

Je vis Auriol, et je le vis dans toute sa dextérité, un jour de représentation à son bénéfice. Je le vis exécuter un double saut périlleux, retomber les pieds dans ses pantoufles, puis déclarer que c'était là sa manière de se chausser, et je le crus. Je le vis marcher, courir, sauter, danser avec des échasses, puis franchir d'un bond vingt-quatre chevaux garnis de leurs cavaliers, dont il décoiffa le dernier au passage pour se parer de son couvre-chef. Je le vis grimper sur les bâtons de deux chaises tenues en équilibre sur leurs dossiers, se promener en sautillant sur une béquille haute de trois mètres, jongler debout sur un cheval dont il regardait la croupe, traverser comme une flèche un cercle de pipes sans en casser une seule. Je vis les hommes le saluer de bravos frénétiques, les femmes le couvrir de fleurs, et les personnes de mon âge, sans m'excepter, le contempler bouche béante et respirant à peine, applaudissement qui ne manquait pas de valeur, bien que silencieux. Il était véritablement unique,

17.

ce petit homme toujours habillé de blanc, coiffé d'un bonnet à
pointes garnies de grelots, et dont la voix grêle, perçante, char-
mait le public. Le métier de clown, comme celui de faiseur de
vers, s'est beaucoup perfectionné depuis un quart de siècle; les
exercices de force sont, en apparence, plus dangereux que ceux
d'autrefois, les vers plus tourmentés, les rimes plus riches. Mais
les habiles artisans que nous applaudissons ne nous font-ils pas
un peu trop partager l'effort de leur labeur? La perfection, dans
l'acrobatisme comme dans la littérature, sera toujours de per-
suader, à force d'art, que le difficile est facile. Auriol connaissait ce précepte; naturel, aisé, il ne disait pas : Voyez comme je
suis adroit, il le montrait.

Je sortis du Cirque enthousiasmé, pris d'un impérieux désir
de sauter par-dessus tous les obstacles que je rencontrais. Je
gravis l'escalier de la maison en me disant qu'Auriol ne devait
pas prendre cette peine, qu'il sautait très-probablement de la
rue dans sa chambre, en passant par sa fenêtre. Durant la nuit,
j'eus une série de rêves : je m'élançais d'un bond par-dessus la
Seine, puis sur le sommet des tours de Notre-Dame, et de là
dans la lune. Je me réveillai convaincu qu'il ne tenait qu'à la
volonté d'Auriol d'exécuter ce que je venais de rêver. Mon
imagination, évidemment, m'emportait plus haut que le fameux

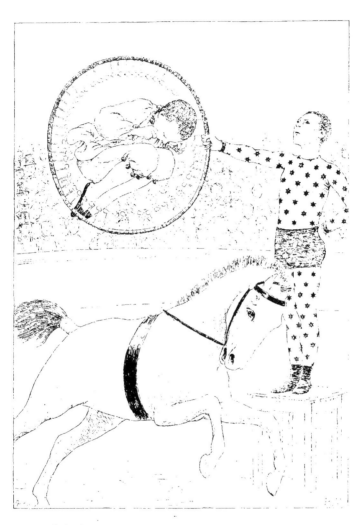

Je le vis traverser un cercle de pipes sans en casser une seule.

clown ne pouvait atteindre. Quelle fée que l'imagination ! Elle double parfois nos plaisirs, et triple toujours nos peines.

A l'heure de faire mon lit, je tentai un essai de saut périlleux dont le résultat ne fut pas encourageant. Faute d'avoir pris convenablement mes mesures, je faillis me casser un bras et me tordre le cou. J'en fus quitte, grâce à mon ange gardien, pour une légère contusion. Le peu de succès de cette tentative me fit réfléchir, ce qui ne m'arrivait pas autrefois. L'art de faire la culbute en l'air devait avoir, comme tous les arts, des principes que j'ignorais, que je brûlais d'apprendre. Usant d'un stratagème qui m'avait toujours réussi, je fis adroitement causer mon père, sans cesse disposé à m'instruire.

J'appris qu'Auriol, alors qu'il était petit, avait été disloqué par ses parents; puis que, par des sauts gradués, répétés, il avait atteint l'apogée de son métier.

— Si tu t'exerçais soir et matin, me dit mon père, à faire une chose à laquelle personne ne s'exerce, à lancer des pois en l'air, par exemple, et à les recevoir dans un étui, tu acquerrais peu à peu une dextérité qui surpendrait tes camarades. Seulement, comme en toutes choses, il faut, pour exceller, posséder des dispositions naturelles.

La leçon ne fut pas perdue; je me savais, depuis longtemps,

doué de dispositions naturelles pour la course et les sauts :
j'étais , à Paris comme à Versailles, un des plus forts joueurs
au cheval fondu. Toutefois, je n'y pensais pas sans amertume,
je n'étais pas disloqué. Comment mon père, si prévoyant,
avait-il négligé, oublié de prendre un soin si important? Il fallait y remédier, et je m'en occupai avec ardeur.

Du matin au soir, en me levant, en vaquant à mon petit mé-
nage, en descendant l'escalier, en le montant, je m'ingéniai à
me tordre le cou, à replier mes jambes, à les lancer à droite ou
à gauche, à exécuter des moulinets avec mes bras. Parfois, à
l'heure à laquelle je lui récitais mes leçons, je m'oubliais devant ma mère. Elle prit bientôt pour des tics mes mouvements
volontaires, parla à mon père de l'agitation de mes nerfs, pro-
nonça le nom de la danse de Saint-Guy. Si le bromure de po-
tassium eût été inventé, on m'en eût pour sûr fait goûter. Mon
père me recommanda de m'observer, de contenir le plus possible les gestes qui m'échappaient. Je m'observai, non pour
me guérir d'un mal que je ne possédais pas, mais pour éviter
de me trahir. Aussi, quelques jours plus tard, ma mère con-
stata avec satisfaction que mes nerfs se calmaient; la vérité,
c'est que je n'avais plus, en face d'elle, que des oublis sans conséquence.

Il arriva un moment où je me crus suffisamment disloqué, où l'heure me parut venue de procéder aux grands exercices. Celui qui me tentait le plus, après le saut périlleux, c'était l'escalade des deux chaises en équilibre sur leur dossier. Par malheur les chaises du salon, aussi bien que celles de la salle à manger, faisaient un bruit qui menaçait sans cesse de me trahir. J'avais beau les placer sur le tapis de mon lit, un clic-clac révélateur retentissait. Ah! si ma mère avait été un peu sourde, comme son amie madame D..., à laquelle on parlait en criant dans un cornet! Hélas! c'est à de pareilles sottises que conduit à dix ans la réflexion; passé cet âge, elle conduit souvent encore plus loin.

Un matin que je retournais le matelas de mon lit, une idée lumineuse me vint. Si, au lieu de placer les chaises sur le parquet, je les installais sur mon matelas, qu'arriverait-il? Il arriverait, me répondit ma raison, que tout bruit se trouverait supprimé. Sans compter que si les chaises basculaient, elles seraient préservées de tout dommage, et moi aussi. Je me dépitai contre moi-même d'avoir mis quinze jours à m'aviser de cet expédient.

Afin de rattraper le temps perdu, l'exécution suit la conception. Les chaises sont en place, je les écarte un peu, et, labo-

rieusement, je commence mon ascension. Ça marche, je viens
d'atteindre la paille ; mais les chaises vacillent beaucoup plus

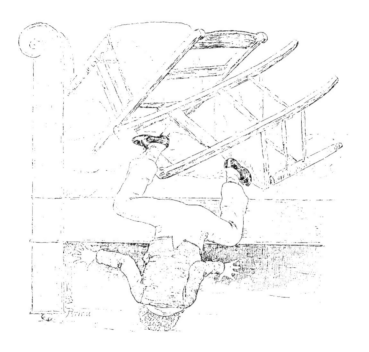

que sur le parquet, et ce qui devrait me paraître naturel m'é-
tonne. J'ignorais qu'en plaçant mon échafaudage sur une surface
mobile, j'augmentais si bien les difficultés de mon entreprise,

qu'Auriol lui-même y eût renoncé. Néanmoins ça marche quand même; sans grâce peut-être, à coup sûr très-laborieuse-ment, mais ça marche jusqu'au moment où les chaises s'incli-nent, se renversent, dégringolent avec fracas sur le parquet où je les ai précédées.

Ma mère m'appelle. Étourdi, effrayé, endolori, je garde le silence. Elle s'arrache à son fauteuil, entre, lève les bras au ciel, devine et s'écrie :

— Le malheureux! Il a voulu imiter Auriol.

Je ne réponds ni ne bouge ; ma mère me croit mort et pousse un cri. Je me redresse et je la vois toute pâle. Suffoquée, elle me prend dans ses bras, me presse contre sa poitrine et pleure. Je fais comme elle en répétant :

— Ce n'est rien.

— Mais tu es tombé?

— Oui; un peu.

— Où as-tu mal?

— Nulle part.

— Tu veux donc te tuer?

Je secoue négativement la tête.

— Marche.

J'obéis, et ma pauvre mère se rassure en voyant mes mem-

bres fonctionner. Elle me demande des explications, puis déclare que, me connaissant comme il me connaît, mon père
n'aurait pas dû me conduire au Cirque.

— Ai-je besoin , dit ma mère en terminant, de te recomman-
der de ne pas recommencer?

Je réponds, *in petto* :

— Non, c'est inutile ; je ne recommencerai pas, du moins
de cette manière-là ; j'en connais trop bien le côté faible.

Ma mère m'aide à mettre les chaises en place, s'informant à
chaque minute si je ne ressens aucun mal. Je me garde bien,
non pas précisément pour la rassurer, mais dans la crainte
d'être grondé, de dire que je suis endolori de la tête aux pieds.
Le retour de mon père m'inquiète un peu ; je sais, par expérience, qu'il prend mal ces sortes d'aventures ; il juge les résultats et méconnaît les intentions. Le voici : je l'embrasse, puis, à
mesure que ma mère lui raconte ma tragédie, mon nez s'a-
baisse jusqu'à toucher le livre dont je suis censé étudier le
contenu.

Mon père ne me gronde pas, il m'invite, bien qu'il ne soit
plus temps, à raisonner et à réfléchir. Comment n'ai-je pas
compris que, étant données les lois de l'équilibre, les chaises
devaient fatalement se conduire ainsi qu'elles l'ont fait? Comment

n'ai-je pas songé que, si chacun pouvait exécuter de la veille au lendemain les tours d'Auriol, on serait bien sot de l'applaudir ? Il me prie, dans mon intérêt, de renoncer à l'acrobatisme, lequel ne peut me conduire qu'à me casser une jambe, une côte, un bras ou le cou, et m'affirme qu'il est trop tard pour me disloquer.

J'écoute, mais je pense que, s'il est trop tard pour le tour des chaises, il est temps encore pour celui de la béquille. Mon père a dû s'apercevoir de mes réticences, car, durant le dîner, il me peint la profession de saltimbanque avec des couleurs peu engageantes. Selon lui, leurs exercices, purement mécaniques, n'ont rien à voir avec l'intelligence, qui seule mérite d'être cultivée. Si Auriol étonne, s'il amuse, le plus petit des singes saute encore plus haut que lui et grimpe beaucoup mieux; en revanche, ledit singe est si bien une bête, qu'il ne saurait apprendre à lire. Je parle des bravos prodigués au clown, et mon père de me répondre :

— Ta vanité montre le bout de l'oreille; néanmoins, je ne te blâme pas de vouloir être applaudi. Toutefois, ne cherche pas les applaudissements qui durent une heure, cherche ceux qui durent toujours; ceux-là, on les atteint par le savoir, le talent ou le génie.

Mon père en parlait un peu à son aise; mais il avait raison.
Cependant, il fallut une nouvelle dégringolade, dont personne
ne se douta, bien qu'elle m'eût couvert le corps de bleus, pour
me faire renoncer à devenir le rival d'Auriol. Lambert, à la fin
des vacances, me reconquit à la littérature. Nous ignorions
qu'elle aussi expose ses adeptes à des mécomptes douloureux,
que le public n'est pas toujours juste, que Racine eut le chagrin de se voir préférer Pradon, et douta de son propre
génie.

La méthode de mon père de recourir en toute occasion au raisonnement porta peu à peu ses fruits, et mes actions, ma conduite, s'en ressentirent d'une façon notable. Certes je savais, avant ma dixième année, distinguer le juste de l'injuste, le licite de l'illicite, le bien du mal; mais tout cela en gros pour ainsi dire, et nombre de nuances m'échappaient.

Ainsi lorsqu'il m'arrivait de détraquer ou de briser un objet quelconque, et que ce désastre n'avait pas eu de témoin, je considérais comme un acte de défense naturel, à l'heure où l'on rechercherait l'auteur du dégât commis, d'affecter une superbe indifférence. Si l'on m'interrogeait, mon premier mouvement était un geste de dénégation. A quoi bon, pensais-je, courir de moi-même au-devant du pain sec? il sera temps de l'accepter à la dernière extrémité. Cette dernière extrémité, on ne tardait guère à m'y acculer, car mon père excellait dans ce genre d'opération. Me pressant d'interrogations, il m'amenait vite à me contredire. C'est que nul n'est assez habile, homme ou enfant, pour donner longtemps au mensonge l'apparence de la vérité.

Souvent, je l'avais à peine formulée, que j'avais honte de ma dénégation. N'osant la rétracter, je m'embourbais dans une série de justifications dont je finissais par sentir moi-même la déplorable absurdité. Avec une inflexibilité dont je lui sais gré, mon père me laissait m'enfoncer dans la vase, puis, lorsque la vérité ressortait de mes bourdes, il me disait :

— Tu me crois donc bien sot, pour avoir espéré me donner le change par tes inventions déraisonnables ? Tu as voulu éviter de manger ton pain sec un jour ; eh bien, tu en mangeras pendant huit ; tu l'as bien gagné.

Je courbais la tête, humilié, penaud, et je pleurais, ce qui ne réparait rien.

Quand par hasard les circonstances donnaient à l'un de mes mensonges une apparence de vérité, c'était plus terrible encore. Le châtiment de la faute que j'avais commise planait sur la tête d'un innocent, c'est-à-dire sur celle de la pauvre Léontine. Alors ma conscience, ma loyauté se réveillaient ; je ne voulais pas que l'on punît injustement ma sœur, et, rouge, balbutiant, honteux, je révélais que j'avais non-seulement commis le délit, mais que j'avais menti. Le raisonnement, peu à peu, me fit reconnaître que j'étais ma propre dupe dans ces occasions, qu'il y avait un réel avantage à toujours dire la vérité. Du reste, le mensonge mettait mon père hors de lui; il ne pouvait souffrir ce vice qui, selon son expression, n'a jamais fait partie du bagage d'un honnête homme, et il n'eut de cesse qu'il ne m'en eût inspiré l'horreur.

Donc, à partir de ma dixième année, et grâce à la dose de raisonnement qu'elle amena, je devins respectueux du bien d'autrui. Les fruits défendus m'attiraient bien encore, mais si j'y portais la main, la réflexion des conséquences m'empêchait de les cueillir. Je serais devenu parfait, autant du moins que notre faible nature peut l'être, si, après chacune de mes victoires, d'autres défauts ne fussent venus prendre la place de ceux que je perdais, et je ne gagnais pas toujours au change.

Parmi les travers qui, vers cette époque, désolèrent ma famille, les deux plus saillants furent, sans contredit, un amour-propre de la plus belle venue, doublé d'une timidité presque maladive. Mon amour-propre, faute d'expérience, me grossissait outre mesure les choses les plus simples de la vie, et me les présentait sous un jour absolument faux. Ainsi, pour ne citer qu'un exemple, porter un paquet dans les rues me semblait un

18

manque de dignité absolu, un véritable déshonneur. Porter un
paquet! n'était-ce pas faire œuvre de commissionnaire, instruire
l'univers que je n'étais pas riche, que je me passais de valet de
chambre, que j'en étais réduit à me servir moi-même? J'avais
la sottise, — suis-je seul à l'avoir eue? — de me préoccuper
outre mesure de l'opinion des personnes que je ne connaissais
pas. Je croyais, — alors qu'en réalité nul ne s'occupait de moi,
— voir des sourires ironiques ou dédaigneux sur les lèvres des
gens que je rencontrais quand, après une visite dans un magasin
où je l'accompagnais, ma mère me chargeait d'une de ses volu-
mineuses emplettes. D'où me venait cette fausse appréciation?
Deux ans auparavant, à Versailles, je disputais énergiquement
à ma sœur le droit de porter le panier garni de notre goûter,
lorsque Rose nous conduisait dans le parc, et, si ma mère n'y
avait veillé, je serais bravement sorti, même pour aller dans le
monde, sans être peigné, lavé ou complétement habillé. Quelque
maladroite moquerie, je le suppose, avait réveillé mon amour-
propre pour le lancer dans une voie fausse; c'était peut-être
aussi parce que je devenais homme.

Si mon amour-propre me faisait souffrir, ma timidité ne me
rendait pas moins malheureux. Je ne reculais jamais devant un
camarade plus fort que moi, je n'hésitais pas à commettre des

forfaits dont je connaissais d'avance le châtiment, mais, en face d'un étranger, je ne savais que rougir, balbutier, me balancer sur un pied, puis sur l'autre, sans avoir pourtant la moindre envie de danser. Cette timidité, qui me donnait l'apparence d'un niais devant les personnes auxquelles on me présentait, désolait ma mère, qui m'appelait ironiquement *mademoiselle*. Quant à mon père, si ma timidité l'impatientait, il s'inquiétait davantage de mon amour-propre.

Être appelé *mademoiselle* me dépitait bien un peu, mais cela ne me fâchait qu'à demi. Je savais rendre justice aux qualités de ma sœur, et il ne me déplaisait pas de lui être assimilé. Cependant, Léontine ne me ressemblait guère; au salon, elle savait répondre avec gentillesse, même avec à-propos, aux questions qu'on lui adressait, tandis que je me contentais de devenir cramoisi. Plus on insistait pour m'arracher une phrase, plus je me troublais, surtout si je me trouvais en face d'une dame. J'avais une terreur profonde des dames, et j'aurais été fort en peine de dire pourquoi.

Une fois hors du salon, d'où Léontine sortait invariablement félicitée, admirée, triomphante, il arrivait parfois à la jeune personne d'oublier que j'étais son aîné et de se moquer de ma mine piteuse. Ma sœur appartenait bien au sexe des dames,

18.

mais elle n'était qu'une petite fille, et ne me causait aucune espèce de terreur. Lorsque son persiflage dépassait la mesure de ma patience, je m'avançais vers elle menaçant, prêt à lui

prouver que j'avais qualité pour porter le pantalon que l'on m'engageait souvent, par moquerie, à troquer contre sa robe. Effrayée de mon air déterminé, elle appelait vite à l'aide. Grondé au salon pour ma gauche timidité, j'étais grondé dans la salle à manger pour ma hardiesse effrontée. Ma mère, s'expliquant mal ma double conduite, s'attristait de me voir devenir hypocrite, injure imméritée. Plus observateur, mon père voyait dans ma timidité une conséquence de mon déplorable amour-propre; je ne sais s'il avait tort ou raison.

Il est certain que la peur de paraître gauche, de ne pas m'exprimer comme il convenait, me faisait trébucher sur les écueils que je redoutais. Ma timidité impatientait mon père, toutefois il la voyait avec indulgence, et comptait sur l'âge pour m'en corriger. Quant à mon amour-propre, il le combattait sans relâche. Il disait, avec beaucoup de justesse, que si l'amour-propre bien compris est le mobile de nombre de bonnes actions, il côtoie d'autre part la vanité, même son grand frère l'orgueil, et il ne voulait pas me voir ces défauts-là.

M'ayant pris un jour en flagrant délit d'amour-propre mal placé, c'est-à-dire de celui qui frise la vanité, mon père, au lieu de me sermonner, me donna l'ordre de m'habiller pour sortir avec lui. J'adorais, on le sait, les promenades en compagnie de mon père, car il me conduisait le plus souvent dans les musées. Ce jour-là, fidèle à sa coutume, il m'emmena au Louvre. Nous parcourûmes la grande galerie qui renferme les toiles où le riche et vigoureux pinceau de Rubens, guidé par Marie de Médicis, a retracé allégoriquement une partie de la vie de Henri IV. Ce fut, grâce au savoir de mon guide, un véritable

cours d'histoire que cette promenade. La visite terminée, mon
père, cédant à un de mes désirs, me mena rue de la Ferron-
nerie. Je voulais voir le pavé de fer qui, d'après le dire d'un de
mes camarades, marquait la place où se trouvait le carrosse du
bon roi Henri, lorsqu'il fut frappé par Ravaillac. Après avoir
en vain cherché le fameux pavé, mon père se dirige vers l'ate-
lier d'un menuisier. Là, au lieu de demander un renseignement,
ainsi que je m'y attendais, il examine une planche longue d'au
moins trois mètres, la marchande, l'achète et la paye.

Jusque-là rien que de très-naturel. Mais une stupéfaction
profonde s'empare de moi lorsque j'entends mon père, auquel
le maître menuisier demande son adresse pour lui envoyer la
planche, répondre qu'il saura bien la porter lui-même. Je souris
de cette plaisanterie, puis me voilà plus rouge qu'une crête de
dindon. C'est que mon père, joignant l'action à la parole, vient
de saisir la planche, de la placer sur son épaule et de gagner le
milieu de la rue avec son fardeau. En ce moment, ce n'est pas
ma timidité qui se trouve en jeu, c'est mon amour-propre. Le
gredin me trouble si bien l'esprit que, marchant sur le trottoir,
je me surprends à espérer que les inconnus avec lesquels je me
croise, et dont j'ai la sottise de me préoccuper, ne pourront
soupçonner qu'il existe le moindre degré de parenté entre le

monsieur en redingote chargé d'une planche et le jeune gentleman qui trotte en arrière de lui. Au moment où la vanité me

pousse à ce lâche raisonnement, qui me fait en quelque sorte
renier mon père, celui-ci semble avoir deviné mes pensées, car
il m'appelle. Son chapeau le gêne, il me le confie, et m'enjoint
de me tenir à son côté. Hélas! je suis pris. Je ne puis plus dis-

simuler que je suis le fils du monsieur qui porte la planche, on
doit même me prendre pour son apprenti, et me voilà perdu
dans la considération des gens qui passent ! Pourquoi, et que
m'importe? je serais bien en peine de l'expliquer. D'ailleurs, la
vanité ne prend guère la peine de raisonner; aussi fait-elle toujours rire aux dépens de celui qui l'affiche. Par malheur, je
suis trop jeune encore pour le savoir, et je ne me crois pas va-
niteux.

Mon supplice, — j'en ris aujourd'hui, je n'en riais pas alors,
— augmente à mesure que nous approchons du quai de la Ferraille. Que vont penser l'épicier, le fruitier, le boulanger qui
fournissent notre maison, en nous voyant défiler, moi, mon
père et la planche? Puis, à n'en pas douter, nous allons rencontrer des personnes de connaissance. Au moment où me vient
cette pensée terrible, j'aperçois M. Malétras, un avoué, un
homme si respectable qu'il se promène toujours en cravate
blanche. Je passe de droite à gauche. Grâce à la malencontreuse
planche, M. Malétras, je l'espère, ne nous verra pas. Mais,
outre sa cravate blanche, il porte des lunettes; il nous a vus, et,
au lieu de passer vite, en fermant les yeux, il s'avance vers
nous.

— Est-ce une gageure? demande-t-il en souriant.

— Non, répond mon père, c'est une leçon que je donne à mon fils, qui, pas plus tard que ce matin, a refusé de porter une chaufferette que venait d'acheter sa mère, en déclarant qu'il ne voulait pas se déshonorer.

M. Malétras me regarda avec compassion, puis, me plaçant sous le nez une liasse de papiers qu'il tient sous son bras :

— Moi aussi, mon pauvre garçon, me dit-il, je me déshonore soir et matin, et cela tous les jours, comme tu vois.

Je ne réponds rien; toutefois M. Malétras ne m'a pas convaincu; il y a un abîme entre porter une planche, une chaufferette ou des papiers.

L'avoué serre la main de mon père avec cordialité, m'accable d'un regard dont les verres de ses lunettes n'atténuent en rien l'expression méprisante, et je marche confus près de mon père, le rouge au front, les oreilles en feu. Je baisse les yeux en voyant un capitaine, qui fréquente notre maison, nous regarder ébahi en se rapprochant de nous.

Même dialogue, à peu près, qu'avec M. Malétras, et mêmes moqueries à mon adresse de la part de l'officier. Lui aussi tient à la main un paquet dont il déchire l'enveloppe pour me montrer une volaille, et il s'éloigne d'un air tragique en répétant :

— Déshonoré! déshonoré!!

A mesure que nous approchons de notre demeure, le calice
dont je bois le contenu à petits traits devient de plus en plus
amer. Je vois nos fournisseurs : boucher, charcutier, chapelier,
nous examiner avec surprise. Ils ne rient pas, et, à mon grand
étonnement, ils saluent mon père avec la même déférence que
s'il se promenait avec sa canne. Mon père m'observe et me dit :

— Commences-tu à te convaincre que le travail, de quelque
nature qu'il soit, honore toujours et ne déshonore jamais ?

En ce moment une amie de ma mère, une de celles dont j'avais
le plus peur, apparaît. S'il y avait un gouffre près de moi, je
m'y précipiterais pour ne pas la voir. Elle nous salue, m'envoie
son plus gracieux sourire et passe. Une brusque révolution se
fait en moi.

— Père, dis-je.

— Que veux-tu ?

— Je voudrais t'aider à porter la planche.

Sans répondre, mon père me place son fardeau sur l'épaule.
Il était lourd, incommode, ce fardeau, et j'eus à me roidir pour
le maintenir en équilibre. On me regardait, et bientôt mon
amour-propre fit volte-face; je me sentis fier de pouvoir porter
une planche si pesante. En passant près de moi, un ouvrier dit
à mon père :

— Il est fort, votre petit.

Ce fut à regret, — qui le croira? — que je pénétrai dans la

cour de notre maison, j'aurais voulu faire le tour de Paris, continuer à démontrer que j'étais fort : en vérité, il n'y a de conséquent avec eux-mêmes que les papillons ou les hommes, et
encore !

L'héroïque leçon que me donna mon père me corrigea-t-elle spontanément? Non, les défauts sont tenaces, et il faut leur livrer plus d'un assaut pour les vaincre. Néanmoins, elle me fit comprendre que l'opinion des autres doit nous être indifférente, quand nous remplissons un devoir.

Je guéris de mon faux amour-propre, mais non de ma timidité, que mon père, pour mon malheur, ne jugea pas nécessaire de combattre, dans la croyance, je l'ai dit, que l'âge m'en corrigerait. Il se trompait. Loin de l'atténuer, l'âge développa chez moi ce défaut qui a si bien nui à mes affaires et m'a rendu si malheureux, que je voudrais mettre en garde contre lui. Hélas! comment, lorsqu'elle n'est pas une dépendance de l'amour-propre, vaincre la timidité? On la qualifie de ridicule; elle est surtout douloureuse, je ne l'ai que trop expérimenté.

D'une espèce que je crois particulière, ma timidité m'a souvent donné l'apparence d'un sot, d'un homme mal élevé, d'un homme fier, alors que je n'ai été rien de tout cela. J'ai toujours su regarder sans trouble le péril ou la mauvaise fortune, mais non une femme, un homme célèbre ou notable; n'allons pas si haut, même un simple boutiquier. Que de fois, faute d'oser marchander un objet que l'on m'offrait, je l'ai payé le double de sa valeur! que de fois j'ai acheté ce dont je n'avais nul besoin, n'osant sortir les mains vides d'un magasin dans lequel j'étais entré! que de fois je me suis attardé dans une visite, ayant conscience que je devais me retirer, sans trouver le courage de prendre congé! J'ai parlé du mensonge, que mon père abhorrait; combien la timidité ne m'en a-t-elle pas fait commettre, dont il a toujours ignoré la cause! Exemple :

Ma mère, ayant un jour un rendez-vous avec une de ses amies, se sent soudain trop souffrante pour sortir, et m'envoie aviser madame L*** de ce contre-temps. La commission ne me plaît guère, elle rentre dans la catégorie de celles que je redoute, et j'essaye en vain de m'y soustraire. Hélas! il y a dans la demeure où je dois me rendre trois jeunes personnes et une femme de chambre qui me font toujours fête, dont pourtant les yeux font peur aux miens.

Me voilà devant la maison, puis sous la porte cochère, où je me recueille. Si madame L*** pouvait descendre, comme je lui en saurais gré! Je passe une heure à guetter cette bonne fortune, et madame L*** ne descend pas. La concierge, qui m'a remarqué, vient charitablement me prévenir qu'il y a du monde en haut; il me faut enfin m'exécuter. Je me mets en route, et je franchis chaque marche avec la lenteur que doivent apporter à cette opération les condamnés qui gravissent les degrés d'un échafaud. Me voilà sur le palier, en contemplation devant le cordon de la sonnette. On monte, je me penche sur la rampe, c'est une dame! Comment fuir ce monstre terrifiant? je

grimpe plus haut. La dame s'arrête chez madame L***. Oh! si je l'avais su, je serais resté pour entrer avec elle. Je reviens sur le palier, je réfléchis, je me raisonne, les regards attachés sur le cordon de sonnette. Elle est bête, ridicule, ma peur, je me le répète, je m'en convaincs, néanmoins je respecte le terrible cordon. Des pas résonnent à l'étage supérieur; vite, sonnons! Hélas! je n'en fais rien. Je descends quatre à quatre pour

n'être pas rencontré, et me voilà dehors, n'osant plus rentrer, n'osant pas m'éloigner, n'ayant pas accompli mon mandat, ne sachant comment sortir du labyrinthe dans lequel mon inexplicable timidité m'a égaré.

Je suis parti depuis deux heures, et je devais être absent dix

minutes environ. Que vais-je dire en rentrant au logis? La
vérité, si absurde, si invraisemblable qu'elle soit.

— Eh bien! s'écrie ma mère avec une nuance d'inquiétude,
ces demoiselles t'ont donc retenu?

— Non; j'ai... c'est moi qui suis resté.

— Tu as bien exprimé mes regrets?

— Oui.

Je l'ai à peine prononcé, ce oui, que je me mords les lèvres,
cherchant à le rattraper. On ne m'en donne pas le temps, notre
sonnette retentit, agitée par quelqu'un qui n'a pas peur des
cordons. Madame L*** défile avec ses filles et s'avance vers ma
mère, tandis que je forme le vœu que le soleil s'éteigne, que la
maison s'écroule et nous engloutisse tous. Ma mère parle du
message que j'ai porté, madame L*** annonce que, surprise de
ne voir personne paraître, elle est venue s'informer; ces dames
ne se comprennent pas. On m'interpelle; je réponds par des
sanglots, et toutes les questions dont on m'accable ne m'arra-
chent pas autre chose. A l'heure où mon père rentre, il me
semble avoir deux têtes au lieu d'une.

Un interrogatoire a lieu : comment, sûr d'être confondu, ai-je
pu mentir si effrontément? Où suis-je allé pendant deux heures?
Je me tais, ce silence me condamne, et pourtant, si je disais la

vérité, je serais accusé de mensonge. Mon père se désole de ce qu'il appelle mon escapade, il est convaincu que j'ai été entraîné par un de mes camarades. Protester, me défendre, à quoi bon! il ne me croirait pas. Las du monde, las de la vie, je me laisse accuser. Et dire qu'étant devenu homme, ma timidité m'a enfermé dans des impasses encore plus affreuses! Si la Divinité m'offrait de me faire revivre mon passé, je n'accepterais qu'à la condition qu'elle supprimerait de mon âme cette faiblesse que je n'ai vue chez personne au même degré que chez moi. Or les timides cachent leur infirmité, leurs souffrances. Qui sait? j'ai peut-être, sans m'en douter, coudoyé nombre de fois mes pareils, je leur ai peut-être fait peur!

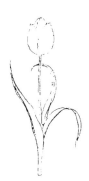

CHAPITRE IX

Les jours, les mois s'écoulent, je marche vers ma onzième année. Le temps des entreprises sans queue ni tête, des espiègleries irrationnelles, des irresponsabilités morales, est enfin passé. J'ai déjà assez vécu pour que ma vie ait des points de repère, je ne trouve plus le vide en regardant en arrière, je puis comparer. Décidément je sais réfléchir, et par conséquent raisonner. Mes réflexions ne sont pas toujours d'une justesse irréprochable, mes raisonnements ne sont pas toujours d'une logique rigoureuse, mais je ne laisse plus tout à fait au hasard, à l'inspiration, le soin de diriger ma conduite; j'ai enfin pris le commandement de mon moi, que me disputent encore les caprices, que me disputeront plus tard les passions. Autrefois, les objets que je rencontrais me conviaient à les détruire, et voilà que je ne réponds plus à leurs provocations. Autrefois, une leçon dont j'esquivais l'étude me semblait du temps gagné; je vois maintenant que c'est du temps perdu, du temps que j'aurai peine à recouvrer. Certes, je commets encore nombre d'enfantillages, nombre de maladresses, et je suis loin de dédaigner les jeux; mais ceux d'autrefois me semblent insipides, indignes de moi. A plusieurs reprises j'ai voulu reprendre mes chasses, mes batailles; elles ne m'ont amusé qu'un instant. J'ai perdu la baguette enchantée, la faculté, veux-je dire, qui me permettait de transformer les choses à ma fantaisie. Il me faut, à présent, plus d'un arbre pour avoir l'illusion d'une forêt, un filet d'eau ne me tient plus lieu de rivière, un simple bâton de cheval fougueux, et je ne crois plus composer une tragédie en parodiant les vers de Racine. Je ne considère plus le monde, c'est-à-dire ce qui m'entoure, comme un ensemble créé pour mon usage personnel, m'appartenant. Je suis sorti de mon égoïsme, jusque-là nécessaire à ma conservation, et ce que

font les autres m'intéresse. Il y a déjà un si profond abîme
entre ce que je suis et ce que j'ai été, qu'en parlant des jours
écoulés je dis avec dédain : Quand j'étais petit !

Quand j'étais petit, — je reviens un instant à cette époque, —
celui de mes désirs qui primait les autres, et j'aurais dû en parler déjà, c'était d'être grand. Oh ! être grand ! disposer à mon
gré de ma personne et des pots de confitures, pouvoir atteindre,
sans l'aide d'un tabouret, d'une chaise ou d'une table, tout ce
que l'on plaçait hors de ma portée, je n'imaginais pas de plus
complet bonheur. Je vais avoir onze ans, on me traite de grand
garçon, et je n'ai pas, comme je le croyais, trouvé le bonheur.
Il y a encore nombre de choses que je ne puis atteindre, et ce
sont celles-là que je voudrais. Celles que j'enviais étant petit ne
m'intéressent plus, il me semble qu'elles ont changé de nature.
Les choses auxquelles j'aspire, qui seules me paraissent envia-
bles, ce sont celles qui sont là-haut, là-bas, hors de ma portée.
Hélas ! ce leurre sera éternel ; je verrai le bonheur en avant jusqu'au jour où, las de le poursuivre, je l'apercevrai en arrière, dans
les années que j'essaye de faire revivre, à l'époque où j'étais petit !

Et cependant un poëte a dit, dans un vers magnifique :

Tout bonheur que la main n'atteint pas n'est qu'un rêve !

Mais non ; le bonheur, c'est le rêve lui-même. Quand on

l'atteint, il devient la réalité, et la réalité, c'est la désillusion. Ce que l'on désire vaudra éternellement mieux que ce que l'on possède : qui donc l'ignore, les poëtes exceptés?

Je n'ai que onze ans, je *philosophie* hors de propos, mieux vaut en revenir à la pension Jouan.

Mon association morale avec Lambert me fut profitable, et mon père, lorsqu'il eut vu trois fois mon ami, et qu'il l'eut fait causer, ratifia mon choix. Il avait une tenue, une façon de s'exprimer qui prévenaient en sa faveur, mon ami Lambert; ses yeux profonds, sa bouche souriante, son front large, ses manières distinguées qu'il avait acquises on ne sait où, disait ma mère, le rendaient sympathique à première vue. Ce qu'il apprenait, il le savait bien, car, non content d'apprendre, il voulait comprendre. Sur ce point, sa raison surpassait la mienne, qui, n'ayant rien de géométrique, se contentait de l'à peu près. Il devait, aussitôt sa première communion, devenir apprenti pâtissier. Mon père déplorait cette circonstance; il y avait dans Lambert, à son avis, l'étoffe d'un homme remarquable, et le métier auquel il semblait condamné annulerait les précieuses facultés dont il était doué. Combien d'enfants, nés pour exceller dans la poésie, dans la peinture, dans les sciences, deviennent de médiocres pâtissiers, et *vice versâ!*

Je parle avec complaisance de Lambert, c'est qu'un coin de mon cœur est toujours resté plein de lui. Le premier, il m'a fait connaître un des plus doux sentiments de l'homme, l'amitié. Jusqu'à lui, j'avais prodigué le nom d'ami à tous ceux qui partageaient mes jeux ; c'était une erreur, une profanation. On est trop personnel, jusqu'à dix ans, pour connaître l'amitié. On a des compagnons, des complices, des associés temporaires, non des amis. La preuve, pour moi, c'est que je disputais toujours à Jules, à Dugué, à Damilonneville le premier rang, et que je ne les trouvais dignes de ma sympathie que lorsqu'ils me l'abandonnaient. Avec Lambert, le contraire se produisait, je m'effaçais pour le mettre en évidence, mon bonheur était de le voir briller. De son côté, il se préoccupait plus de moi que de lui-même. Décidément, j'en avais bien fini avec l'enfance, ma personnalité n'était plus ma loi.

Une autre preuve que je devenais un homme, c'est-à-dire un être sociable, c'est qu'avant dix ans je ne sentais, dans mes mésaventures, nul besoin d'un confident. Maintenant ce besoin, inconnu la veille, était impérieux ; ce qui m'arrivait de fâcheux ou d'heureux me conduisait droit à Lambert. Il me fallait en tout son avis, il lui fallait aussi le mien. Je me consolais d'une injustice quand Lambert me donnait raison, je me désolais doublement lorsqu'il me donnait tort. Quelle influence ont ces amitiés de la première heure! Il est très-vrai que l'avenir d'un enfant peut être gâté par le contact d'une mauvaise nature. Que de fois, faute d'y voir de près, on jette un agneau dans la gueule d'un loup! Eh mais, je me surprends de nouveau à moraliser au lieu de raconter; n'est-ce pas un avis d'avoir à clore ces récits, une preuve que je ne suis plus petit?

A plusieurs reprises, comme stimulant, mon père m'avait promis qu'aussitôt satisfait de mes progrès dans une des branches des connaissances humaines que l'on m'enseignait à la pension Jouan, il me conduirait dans un vrai théâtre. Cette promesse avait produit l'effet souhaité, car je brûlais de l'envie de voir un théâtre intérieurement, ce qui s'y passait ne m'étant connu que par des récits. Chaque année, il est vrai, lors de la foire de Versailles, Rose nous menait, ma sœur et moi, dans un théâtre de marionnettes. Or, depuis que j'avais reconnu que ces bonshommes ne parlaient pas eux-mêmes, qu'il fallait tirer une ficelle pour leur faire lever les bras, je les regardais avec dédain. La fin de la représentation seule me plaisait. C'est lorsque apparaissait un éléphant chargé d'un palanquin où se prélassaient deux personnages, un monsieur et une dame qui souriaient. On introduisait une clef dans le ventre de l'éléphant, il criait comme une pendule que l'on remonte, puis on le posait sur une table. Aussitôt il se mettait en marche, remuait la tête, agitait sa trompe, tandis que le monsieur et la dame saluaient, sans cesser de sourire. Oh! cet éléphant! que n'aurais-je pas donné pour le posséder cinq minutes, rien que le temps de voir ce qui lui criait dans le ventre! La première locomotive qui arriva de Paris jusqu'au centre de Versailles par la grande route, et que toute la ville courut voir, y compris moi, me parut, je l'avoue, bien moins curieuse que l'éléphant. Était-il en vie? Je l'ai cru, puis j'ai eu des doutes; hélas! je n'en ai plus.

Je connaissais le Cirque, mais là Auriol seul parlait, tandis qu'au théâtre, d'après ce que j'en savais, c'était tout le monde qui parlait. Comme mon père ne me promettait jamais en vain, chaque fois que je conquérais une place de premier, j'étudiais avec anxiété son visage à l'heure où il épluchait mon bulletin hebdomadaire. Il me faisait montrer le devoir qui m'avait valu une place honorable, secouait la tête et me recommandait simplement de m'appliquer, de m'appliquer toujours. Avait-il oublié sa promesse? Je le craignais.

Un jour, — mon bulletin portait quatrième en écriture, — il me demanda mon cahier et le feuilleta.

— Bien, très-bien, dit-il en me le rendant, nous irons la semaine prochaine au théâtre ; cette page est bonne.

Quelle angoisse ! mon père, pour sûr, avait mal lu mon bulletin.

— Je n'ai été que quatrième, dis-je en rougissant.

— Je le vois bien.

— Et nous irons au théâtre tout de même ?

— Après-demain.

Je restais indécis, je croyais mal comprendre, mal entendre, mon père le devina à ma mine.

— Tu as été le premier en histoire et en géographie, me dit-il, bien que tes compositions fussent déplorables, et ta place de premier ne me prouvait qu'une chose, la faiblesse de tes concurrents. Tu n'es que quatrième en écriture, mais la netteté de tes lettres, comparée à celles que tu formais il y a deux mois, me force à reconnaître tes progrès, qui ne peuvent venir que de ton application.

Il n'était pas bête du tout, mon père, et sa façon de juger me frappa si bien, que je l'ai souvent employée depuis. A l'heure où il la formula, je demeurai immobile, sérieux, et ce fut son tour de me regarder de l'air d'une personne qui ne comprend pas.

— N'es-tu pas content? dit-il.

— Pas tout à fait, répondis-je.

— Oh! oh! tu as quelque faute sur la conscience?

— Non; je pense à Lambert qui a été second, et il n'ira pas au théâtre.

Mon père se passa la main sur le front, geste chez lui familier.

— Voyons! continueras-tu à t'appliquer?

— De toutes mes forces! m'écriai-je.

— Eh bien, invite Lambert : si ses parents le lui permettent, il nous accompagnera.

Jamais, je crois, je n'avais embrassé mon père avec autant d'effusion que je fis, touché jusqu'aux larmes de sa bonté. Je l'embrassais pourtant bien fort quand j'étais petit, mais c'était sur une recommandation expresse de ma mère, pour qu'il me donnât le jouet ou le gâteau que je voyais entre ses mains, ou pour conjurer un châtiment. Je venais d'acquérir une qualité : la gratitude. Par malheur, il m'en manquait une autre, la patience. J'aurais voulu me transporter d'un bond chez mon ami, lui crier la grosse nouvelle. Mon père le devine et me dit:

— Va!

Il n'a pas à me le répéter; j'ai saisi ma casquette, descendu l'escalier par la rampe pour aller plus vite, et me voilà courant. A mesure que j'approche de mon but, mon pas se modère, je ne cours plus, je marche même avec lenteur, préoccupé. C'est que le père de mon ami n'est pas toujours aimable. Son humeur, je le sais par expérience, se mesure sur les degrés de chaleur de son four. Une fois, je suis arrivé à la minute où une *venue* de biscuits recevait un coup de feu. Sans réfléchir que je ne suis pas coupable de cet accident, M. Lambert se fâche à ma vue; il m'eût mis à la porte sans l'intervention de sa femme. En dépit des protestations de son fils, je le tins pour un très-méchant homme jusqu'au jour où, m'étant présenté au moment où une fournée venait de réussir, il me bourra les poches de miettes sucrées. Depuis lors, je prenais soin, avant d'entrer chez lui, de chercher à l'apercevoir. La position de son béret blanc me donnait la mesure de la cuisson des biscuits. Lorsque ceux-ci étaient sortis dorés, croustillants, le béret, jeté en arrière, formait une auréole à son propriétaire; la fournée laissait-elle à désirer, le béret couvrait le front jusqu'à la naissance du nez; ainsi édifié, j'entrais ou je passais, roide.

J'approche, M. Lambert est dans sa boutique, tête nue. Voilà un signe que je ne connais pas, et je ne sais qu'augurer. Comment agir sans rien compromettre? Une excellente idée me

vient : j'ai deux sous, je vais entrer pour acheter un gâteau.
Pour éviter toute fâcheuse équivoque, je place mes deux sous
entre mon pouce et mon index, et je me présente le bras tendu.

M. Lambert me sourit, me donne le gâteau que je demande,
refuse mon argent. Cette générosité me révèle la favorable tem-
pérature du four, et j'expose ma requête. Elle est gracieusement
accueillie, et bientôt Lambert saute de joie.

Oh! l'attente, quel supplice! Pendant quarante-huit heures je vécus avec la conviction que les pendules se trompaient, que leurs aiguilles oubliaient de cheminer. Mon père m'avait recommandé d'être prêt, je le fus trois heures plus tôt qu'il n'eût fallu, Lambert aussi. Il devait dîner avec nous à cinq heures, il arriva à trois. A quel théâtre allait-on nous conduire? Nous l'ignorions; mon père avait voulu garder le secret. Du reste, nous n'avions pas de préférence : comédie, drame, vaudeville, nous étions prêts à tout accepter. La qualité de la pièce nous importait peu; l'intéressant, c'était d'en voir une.

Lambert ne mangea guère, moi moins encore, l'impatience, la joie nous coupaient l'appétit. Ce n'était pas comme mon père; lui, toujours si expéditif, semblait ne pouvoir se rassasier. Enfin il se lève, et nous voilà en route. Nous voilà en face de la Comédie française, nous voilà dans la salle, exhaussés par des coussins, et nous allons voir représenter le *Bourgeois gentilhomme.*

La salle du Théâtre-Français, en 1839, était loin d'être ce qu'elle est aujourd'hui, néanmoins nous l'admirons. Nous admirons le lustre garni de quinquets fumeux, dont la lumière rougeâtre ne fait rien étinceler. Quatre violonistes, — il y en avait peut-être six, — raclent leurs instruments avec un désaccord qui leur a valu une célébrité : on disait alors de tout musicien qui jouait faux, qu'il appartenait à l'orchestre du Théâtre-Français. Huchés sur nos coussins, nous n'entendons rien; nous ne regardons que le rideau, avec l'espoir cent fois déçu de le voir enfin se lever.

Il se lève; nous ne respirons plus que par saccades. Les scènes burlesques de l'immortelle satire se déroulent devant nous pendant deux heures, dont nous comparerons plus tard la brièveté à celle de l'éclair, sans croire exagérer. Comprenons-nous? Pas tout à fait. Savons-nous applaudir aux bons endroits? C'est peu probable. Ce qui est certain, c'est que, la représentation terminée, mon père doit nous en prévenir plusieurs fois avant que nous nous décidions à descendre de nos coussins. S'il n'eût tenu qu'à nous, les acteurs se seraient remis à l'œuvre, ils auraient de nouveau joué la pièce.

Au retour, nous sommes silencieux, et mon père essaye en vain de nous faire causer, de nous faire révéler nos impressions. Elles sont trop multiples pour que nous puissions les exprimer, nous aurions tant à dire que nous ne saurions par où commencer. Pour ma part, j'ai cette illusion de croire que je viens d'assister à quelque chose qui s'est réellement passé; que le maître de philosophie s'est bel et bien battu, que M. Jourdain, derrière le rideau, voit se continuer la série de ses aventures.

En soupant, mon père s'aperçoit du chaos qui trouble mon esprit et pose nettement les faits. Le *Bourgeois gentilhomme* est une comédie écrite par Molière il y a cent soixante-neuf ans, et tous les personnages créés par le génie du poëte ont été figurés par des acteurs qui, ayant appris par cœur cette comédie, l'ont récitée devant le public. Mon père cherche en vain à me faire admirer Molière, il n'y réussit pas; mon admiration est pour les acteurs. Sur ce point, le peuple et la majorité des gens du monde raisonnent à peu de chose près comme moi. C'est l'acteur, celui que l'on entend parler, que l'on voit agir, qui a de l'esprit, qui mène tout; les comédiens, je l'ai su plus tard, sont aussi de cet avis.

Cette conviction est également celle de Lambert, dont je suis heureux, le lendemain, de trouver les idées conformes aux miennes. Il ne sera plus poëte, il sera comédien, carrière que j'ai déjà choisie de mon côté. Mon père, qui, en nous entendant causer, s'aperçoit que nous nous méprenons, recommence la campagne qu'il a dû entreprendre contre Auriol, et ne triomphe pas du premier coup. Pour être clown, il fallait être disloqué; je ne l'étais pas, je ne pouvais plus l'être, affaire jugée. Mais pour devenir comédien, il suffisait d'avoir de la mémoire et de savoir gesticuler. Or je ne manquais pas de mémoire et j'étais agile. Mon père, pour le présent, sinon pour l'avenir, perdit donc son temps à me répéter que, depuis Molière, cent acteurs ont représenté avec succès le principal personnage du *Bourgeois gentilhomme*, tandis que l'on attend toujours un génie capable de donner un pendant à cette immortelle figure. Cette preuve convaincante que la faculté de créer est plus rare et par conséquent supérieure à celle d'imiter, me laissa incrédule. Il est des courants qu'il faut laisser passer et s'affaiblir d'eux-mêmes; les contrarier, c'est vouloir les transformer en torrents.

Du reste, s'il est quelqu'un qui n'ait pas confondu le génie avec le talent, qui n'ait pas rêvé de devenir acteur le lendemain de la première pièce qu'il a vu représenter, que celui-là me jette la première pomme, cuite ou non.

20

C'en était fait, nous semblions, Lambert et moi, à jamais perdus pour la poésie. Les chansons de Béranger restaient sans rivales, les tragédies de Racine aussi, car nous n'aspirions plus qu'à la haute situation de comédiens, et nous nous excitions à l'envi pour nous préparer à cette brillante carrière. O vanité de la sagesse humaine ! mon père avait voulu nous enthousiasmer pour Molière, et voilà que, prenant l'ombre pour la proie en dépit de ses conseils, nous admirions non le créateur de Scapin, mais Scapin lui-même.

Pendant huit jours, aux heures de récréation, nous reproduisîmes ce que nous avions vu et entendu, surpris nous-mêmes de savoir par cœur, à quelques phrases près, des scènes entières de l'amusante comédie. Un auditoire émerveillé se pressait autour de nous, et nous donnait par ses rires, par ses applaudissements, un avant-goût de la gloire à laquelle nous aspirions.

Un auditoire émerveillé se pressait autour de nous.

20.

Les scènes à deux personnages furent vite épuisées, et leur cinquième audition fut écoutée avec froideur. A la sixième, plus d'autres spectateurs que des petits. L'idée nous vint alors de recruter, parmi nos condisciples, un nombre suffisant d'amateurs pour représenter le *Bourgeois gentilhomme* dans son intégrité. Nous nous heurtâmes contre une difficulté inattendue : il se présenta trois fois plus d'acteurs de bonne volonté qu'il ne nous en fallait. Comment choisir sans fâcher les éliminés qui, dépités, deviendraient aussitôt des spectateurs grinchus, prompts à la critique et avares de bravos? Nous y réussîmes en déclarant qu'il y aurait plusieurs troupes, et qu'elles joueraient alternativement. Cette difficulté à peine surmontée, il en surgit une nouvelle, encore plus épineuse. Chaque adhérent réclama sans modestie le rôle de M. Jourdain, attendu que ce rôle, et celui-là seul, convenait à sa taille, à sa voix, à ses aptitudes. Vingt bourgeois gentilshommes rien que dans la pension Jouan ! O Molière, comme tu connaissais l'humanité !

Il fallut, coûte que coûte, écarter dix-neuf des concurrents, ce ne fut pas une médiocre tâche. Les évincés se résignèrent à des rôles secondaires, sous la condition expresse que l'on mettrait en répétition, à bref délai, les pièces qu'ils avaient vu re-

présenter et dont eux seuls, par conséquent, pourraient convenablement interpréter le principal personnage. L'un voulait être
empereur, un autre chevalier, un troisième domestique intègre,
un quatrième bouffon. Or, il n'y avait rien de tout cela
dans la comédie de Molière, et il devint impossible de rien con-
certer.

Lambert, toujours premier en style, me proposa, ô naïveté !
de mettre nos vingt acteurs d'accord, ou, mieux dit, de les satisfaire. Pour cela, il nous suffirait de composer une pièce dans
laquelle apparaîtraient, successivement, un roi, un prince, un
chevalier, un bouffon, un domestique intègre. J'acceptai la proposition avec la même modestie qu'elle m'était présentée, et
nous avisâmes nos camarades d'avoir à se tenir prêts, qu'ils
auraient bientôt des rôles à leur goût. Nos acteurs, sans en être
priés, se transformèrent aussitôt en collaborateurs. L'un nous
prévint qu'il voulait se battre contre un bataillon anglais,
recevoir un boulet ramé dans la poitrine, puis expirer dans les
plis d'un drapeau tricolore, en regardant fuir l'ennemi. Un second demanda qu'il y eût un incendie auquel il arracherait une
femme évanouie, en l'emportant sur son dos. A la fin de la
pièce, il fallait, de toute nécessité, que cette femme fût au moins
la reine. Un troisième, — il se contentait d'être empereur, —

désirait accorder la grâce de leur père à trois jeunes orphelins agenouillés au pied de son trône. En un mot, je le dis à l'honneur de l'espèce enfantine, tous nos acteurs souhaitaient commettre une grande action. Oui, tous, y compris un brigand qui nous offrit ses services, à la seule condition de lui faire, à la dernière heure, sauver la patrie avec sa bande, qui ensuite l'élirait roi.

La scène capitale que chacun réclamait, il nous la jouait pour nous bien montrer ce qu'il ambitionnait, et la cour de l'institution Jouan devint, pendant huit jours, une succursale brillante de la classe de déclamation du Conservatoire.

— N'oubliez pas de me faire crier : « Sauvez ma mère ! » nous disait l'un.

— Moi, disait l'autre, il est indispensable qu'au moment où le rideau baissera, je puisse annoncer que : « Mon pays étant « devenu libre par ma valeur, il ne me reste plus qu'à « mourir ! »

Celui qui désirait emporter une reine évanouie sur ses épaules, nous souffla que, revenue à elle, cette malheureuse devait réclamer son enfant. On comprendrait que le pauvre petit, oublié dans son berceau, serait en train de rôtir. Mais le sauveur de la mère se précipiterait de nouveau dans les flammes, et un tonnerre, deux, trois tonnerres d'applaudissements éclateraient lorsqu'il reparaîtrait avec l'enfant, il en était sûr. Nous aussi : seulement, au milieu de ces exigences, Lambert et moi restions sans rôles. Lorsque nous pouvions prendre la parole pour en risquer l'observation, les empereurs magnanimes, les sauveurs intrépides, les domestiques intègres, les brigands vertueux nous répliquaient avec un égoïsme égal à leur grandeur d'âme :

— Qu'est-ce que ça fait ?

Si les auteurs dramatiques et les directeurs de théâtre pour de vrai ont de pareilles luttes à soutenir, je sais quelqu'un qui les plaint.

Que serait-il advenu de nos projets et de notre enthousiasme, si un sérieux incident n'y fût venu couper court ? En ce qui me touche, ç'eût été là un simple feu de paille. Je n'avais pas la vocation, cette puissance qui, comme la foi, soulève des montagnes et sait vaincre les difficultés. En un mot, ni Lambert ni moi n'étions nés comédiens.

Le grave incident qui, du jour au lendemain, nous fit renoncer à l'une des œuvres et des pompes de Satan, à la carrière de « vaillant artiste », comme on dit aujourd'hui, ce fut notre première communion. Nous allions faire le jeu du diable lorsque Dieu nous ramena brusquement à lui. Il employa pour cette fin l'abbé Hugon, homme doux, persuasif, qui devint vite l'ami vénéré de toutes les jeunes âmes auxquelles il était chargé d'enseigner la morale la plus sublime à laquelle les hommes puissent obéir, sans en excepter celle de Bouddha.

Notre application, notre compréhension, notre ferveur attirèrent vite sur nous l'attention de l'abbé Hugon, qui s'occupa plus particulièrement de nous. Je n'étais pas tout à fait un ignorant en matière de religion, ma mère avait préparé les voies. Quant à Lambert, c'était un vrai païen, auquel il fallut presque tout apprendre. Avec sa nature fine, délicate, rêveuse, il devint promptement dévot. Il délaissa Béranger et composa de naïfs cantiques à la Vierge, qui ont dû lui valoir nombre d'indulgences.

En rentrant un soir de la pension, je fus surpris non-seulement de trouver le logis vide, mais de voir des vêtements épars sur les meubles et les armoires ouvertes. Ce désordre, à pareille heure, m'inquiéta. Mon père avait dû rentrer plus tôt que de coutume, ma mère préparer une malle, puis tous deux étaient sortis. Le temps où j'aurais pu me croire abandonné était loin; toutefois je ne sais quel pressentiment d'un événement douloureux me serra le cœur. Je m'établis près d'une fenêtre pour guetter le retour de mes parents, et, après une heure d'attente pénible, je vis enfin mon père paraitre, seul. Il me prit aussitôt dans ses bras, me pressa contre sa poitrine, et je remarquai, bouleversé, que ses yeux étaient humides.

— O père, m'écriai-je en l'embrassant à mon tour de toutes mes forces, pourquoi donc pleures-tu ?

Il me serra de nouveau contre lui, longuement, sans me répondre. Cette étreinte, comme je m'en souviens et comme elle m'émeut encore ! c'était celle d'un homme qui couvre de ses bras un être cher pour le protéger, pour le défendre. Je demeurai silencieux ; je devinais bien que mon père avait un gros chagrin, et je n'osais l'interroger. Pourquoi ma mère n'était-elle pas là ? La nuit envahissait la chambre, j'attendais une explication qui ne venait pas.

— Habille-toi, me dit mon père, nous dînons dehors.

— Chez M. Chalmin ?

— Non, au restaurant.

— Et maman ?

— Elle a dû partir pour Houdan, elle n'a pas eu le temps de te dire adieu.

— Elle est allée chercher Léontine ?

Mon père secoua négativement la tête.

— Elle reviendra, n'est-ce pas ?

— Oui, la semaine prochaine.

C'était toujours une fête pour moi de dîner au restaurant ; ce jour-là, ce n'en fut pas une. Il se passait quelque chose d'extra-ordinaire, quelque chose que je cherchais en vain à deviner. Le départ subit de ma mère, l'air préoccupé de mon père qui me parlait à peine, qui semblait éviter de me regarder, me fai-saient pressentir un événement formidable. Était-ce une nouvelle ruine ? Les soucis de mon père ne me laissaient plus indifférent, j'aurais voulu en connaître la cause, le consoler, et je pouvais à peine retenir mes larmes en le voyant attristé.

Après le dîner, qui fut rapide, mon père me prend par la main. La nuit est sombre, le ciel sans étoiles, et, au lieu de retourner vers notre maison, nous longeons les quais jusqu'à la place de la Concorde. Là, mon père s'enfonce sous les arbres des Champs-Élysées. Il marche vite, m'entraîne, et de plain-tives exclamations, dont j'essaye en vain de saisir le sens, s'échappent de temps à autre de ses lèvres, me font peur.

A cette époque, où le gaz n'éclairait encore que le centre de la ville, les Champs-Élysées, à neuf heures du soir, étaient aussi sombres qu'ils sont aujourd'hui brillants, aussi déserts qu'ils sont aujourd'hui animés. Plus de passants, plus de voi-tures, plus de bruit, car nous avons dépassé ce qui est aujourd'hui le rond-point. Nos pieds s'enfoncent dans la terre molle, des souffles intermittents agitent les feuillages, et une rumeur lugubre, lointaine, résonne comme une plainte. Entre les troncs noirs, pressés, apparaît parfois la lueur d'un réverbère qui, vu à distance, semble un grand œil rouge, sournois, nous regardant marcher dans la nuit. Il se ferme par intervalles, cet œil terrible, pour se rouvrir quand l'arbre qui l'a voilé est dépassé. Je frissonne, car il me semble entendre des souffles, voir des formes vagues s'écarter de notre passage; ce sont des passants attardés, prudents. Mon père ne voit rien, n'entend rien, et cependant à chaque apparition je me presse contre lui, me demandant avec terreur si les ombres rapides que je vois fuir, et dont la silhouette indécise fait battre mon cœur plus vite, appartiennent à des morts ou à des vivants.

La barrière de l'Arc de l'Étoile se dresse devant nous, mon père s'arrête. Il regarde autour de lui, semble surpris, et me ramène en arrière. Oh! cette course dans le silence et la nuit, à deux pas de Paris si bruyant, comme elle oppresse encore mon cœur lorsqu'il m'arrive d'y songer!

Il est onze heures quand nous rentrons au logis. J'ai des leçons à apprendre, et, voyant mon père se disposer à écrire, je m'établis près de lui.

— Laisse tes livres et couche-toi, dit-il avec douceur; tu étudieras demain.

J'obéis sans faire d'objection, je sens que mon devoir, en ce moment, est de me montrer docile. Lorsque je m'approche de mon père pour lui souhaiter le bonsoir, il m'embrasse si fort qu'il me fait un peu mal. Je ne me plains pas, et je gagne mon lit avec lenteur. Là, cent idées traversent mon esprit, l'échauffent, chassent le sommeil. J'entends mon père, de temps à autre, se lever de son fauteuil, se promener de long en large, puis se rasseoir brusquement. Alors la plume d'oie, à laquelle il ne renonça jamais, se remet à grincer sur le papier. Elle semblait, cette plume, murmurer d'une voix plaintive les mots qu'on lui faisait écrire, et j'écoutais anxieux, cherchant à comprendre ce qu'elle disait.

Enfin, je m'endors.

Réveillé de bonne heure, je me dirige vers la chambre. Il y a vingt lettres rangées sur la table, et mon père, habillé, repose sur son lit. Je respecte son sommeil, et je m'installe à son chevet. Il ouvre les yeux, se met sur pied, m'embrasse avec la même violence que la veille, relit la suscription des lettres qu'il a écrites durant mon sommeil, puis s'assied et m'attire entre ses genoux.

— Tu es un homme maintenant, me dit-il, et je vais te parler comme à un homme. Il est arrivé un malheur à ta pauvre sœur Léontine, il te faudra, désormais, prier pour elle.

— Elle est malade? m'écriai-je.

— Elle est au ciel, me répond mon père, dont les yeux s'humectent; je n'ai pas voulu te l'annoncer hier, pour ne pas troubler ta nuit.

Au ciel! je compris; elle était morte. Morte! Léontine! Je revis, couché sur le dos, les yeux clos, immobile, le petit pinson qui m'avait coûté tant de larmes, et j'éclatai en sanglots convulsifs; mon père s'occupa de me consoler, en m'aidant à pleurer.

Ma douleur fut profonde, persistante, je m'accoutumai difficilement à l'idée que je ne verrais plus ma sœur. Elle était si bonne avec moi, et surtout si jolie, ma Léontine, qu'un peintre versaillais, M. Bigand, avait voulu faire son portrait et l'envoyer au Salon. C'est devant ce tableau, sous les doux rayons des grands yeux noirs de celle qu'il représente, que j'écris ces lignes qui parlent d'elle.

Léontine n'était pas morte de maladie, mais d'une façon tragique. Se trouvant avec une cousine de son âge dans une ferme, les deux enfants eurent la funeste tentation de laver les robes de

Mon père s'occupa de me consoler, en m'aidant à pleurer.

leurs poupées dans une mare profonde, aux bords glaiseux. Le fermier les surprit, les gronda, les renvoya. Elles revinrent aussitôt qu'il eut le dos tourné, et Léontine glissa dans l'eau dormante, qui ne la rendit qu'étouffée.

La mort de ma sœur, c'est-à-dire une douleur, clôture mon enfance et ouvre ma vie d'homme, que je raconterai peut-être un jour. En attendant, lecteur, je persiste à croire que tu as retrouvé dans ces pages plus d'une de tes anciennes façons de penser, plus d'une aussi de tes aventures, sauf les deuils, je le désire pour toi. Vain espoir, je le crains; vieillir, pour nous tous, n'est-ce pas avoir vu beaucoup mourir?

21

TABLE DES MATIÈRES

CHAPITRE VIII

CHAPITRE IX

PARIS. — TYPOGRAPHIE DE E. PLON, NOURRIT ET Cie

8, RUE GARANCIÈRE

Imprimé en France
FROC031324230120
23251FR00014B/208/P